兒童室設備實例㈠

台北市立圖書館景美分館

信誼基金會幼兒圖書館

兒童室設備實例㈡

台北市立圖書館南港分館

國語日報文化中心附設兒童圖書館

第 三 版
兒童圖書館理論/實務

鄭 雪 玫 著

臺灣學生書局 印行

第三版序

　　「兒童圖書館理論／實務」於民國七十四年再版時，僅將原版疏誤之處予以勘誤或略作增補。近日學生書局來洽云，因再版存書售罄，且前版已時隔六年，亟宜新訂第三版，以應時下公眾要求。爰就第二版內容再予勘正補強外，附錄中「建議繼續研讀西文資料㈠㈡」已嫌陳舊，酌予刪去，另增刊八十年六月出版之「臺北公私立兒童圖書館（室）現況調查研究」報告摘錄，俾供讀者參考。尚祈愛好本書人士繼續不吝指正和支持。

鄭雪玫　民國八十年八月
　　　　於台大圖館系

第二版序

　　本書出版將屆二年，頃接學生書局通知，原印存書所剩無幾，亟需再版。惟以時間倉促，僅就原版遺誤之處，分別予以勘誤或補正，未能及時大事修訂，尚乞讀者見諒。。

　　　　　　　　　　郭雪玫　民國七十四年二
　　　　　　　　　　　　　　月十日於輔大

自　序

　　四年多前舉家返國，很幸運地參加了圖書館學的教學
行列。這個轉變使我能將過去在紐約市立布魯克林公共圖
書館近十八年的實務經驗，提供給國內的青年朋友們。也
給予我難得的機會，接觸到國內許多圖書館界的先進、學
者、專家們，聆受他們的教益。

　　返國以來，我感受最深的，便是那些圖書館學界的默
默耕耘者。他們的虔誠激起了我寫這本書的動機。但祈也
能踏著他們的步伐，為中華民國的圖書館學界盡棉薄之力，
播下一點種子。

　　本書對兒童圖書館的有關問題循理論與實務兩方面加
以探討。由於國內兒童圖書館事業尚在發展中，資料不多，
是以本書所用資料，多採自西方先進國家印行者。惟書中
內容則儘量以適合國內兒童圖書館的發展為主。各章討論
內容、觀點曾零星發表於中國圖書館學會會報、教育資料
科學月刊、及其他刊物或報章；第五章全文曾發表於七十
二年四月文建會、教育部、省教育廳、北市教育局及師
大聯合主辦之兒童圖書館研討會。本書內容及觀點難免有
錯誤偏失之處，尚希高明，不吝指正。

　　最後，我要感謝李莉瑜、林麗秋、吳寶足、潘美娥、
關家燕五位同學犧牲了自己的休閒時間，協助我完成本書
的準備工作。

　　　　　　　　郭雪坡　　民國七十二年
　　　　　　　　　　　　　四月八日於輔大

兒童圖書館理論/實務
目　次

圖　表　目　次

第一章 概論

壹 兒童圖書館

兒童圖書館爲圖書館的一種類型，其服務對象以兒童
爲主。所指兒童包括學前、小學及初級中學三個階段的兒
童（註一）。兒童期爲個人發展過程中之一階段，在此期間
兒童具有一種謂之「可塑性」（ *plasticity* ）的特質，而
兒童之「可塑性」爲其「可教育性」（ *educability* ）之
前提。因此學者們均認爲此時期爲接受教育最好之時期，
亦爲奠定個人後期行爲型態之重要時期（註二）。在此時
期，兒童接受幼稚園、小學及初級中學各階段之正式教育，
同時家庭教育及學校教育皆給予該兒童極大之影響。兒童
圖書館爲一社會教育機構，其功能在補充學校及家庭教育
之不足，輔助與導引兒童，使其在個人發展過程中具決定

性之階段，奠定一獨立、健全人格的基礎。

　　兒童圖書館依其隸屬組織之性質可分為兩大類：一為機構圖書館（ *Institutional Libraries* ）之兒童室，一為社區圖書館（*Community Libraries*）之兒童室（註三）。　前者如附設於公私立學校、醫院、其他社會福利機構之兒童圖書室；後者如文化中心、省、縣、市立圖書館、鄉鎮圖書館內之兒童圖書室。因規模之大小，我國名稱雖有「兒童圖書館」與「兒童圖書室」之別，惟英文資料中則均總稱之謂「兒童圖書館」（ *Children's Libraries* ）。由於學校圖書館與兒童圖書館功能不盡相同，性質特殊，因此英文資料中對一般附設於中小學之圖書館（室）之稱謂不同，有「學校圖書館」（ *School Libraries* ）、「學校媒體中心」（ *School Media Centers* ）、「資料與教學中心」（ *Resources and Teaching Centers* ）等名稱，以別於一般機構圖書館及社區內公共圖書館轄下的兒童圖書館。

貳　我國的兒童圖書館

　　我國依照教育部訂定的中小學法規，中小學均得設置圖書館（室）。於民國七十年及六十九年教育部公佈之國民學校設備標準及國民中學暫時設備標準中又規定有「圖書設備標準」。根據六十八年底調查資料，其時台灣地區

共有中學圖書館九七八所,小學圖書館一七五五所(註四)。地方政府法規方面，民國六十六年台灣省政府公佈之台灣省各縣市圖書館組織規程第一條規定：「本省各縣市政府爲儲集各種圖書及地方文獻供衆閱覽，並輔助社會敎育，以提高文化水準起見，特設縣（市）立圖書館……」（註五）。據七十六年底統計資料，台灣地區公共圖書館計有省轄市圖書館兩所、省立圖書館一所、縣立圖書館三十一所、鄉鎮（市）圖書館或縣立圖書館二三六所(註六)惟我國現行有關法令中，並無明文規定圖書館編制中應設置兒童室或性質類似的部門。民國四十九年台灣省敎育廳公佈之「台灣省縣市立圖書館加強業務實施要點」第四條曾明示「開闢兒童閱覽室，舉辦兒童讀書競賽會及兒童故事會等。」（註七）然而兒童室之設立，至今仍未普及。目前僅有少數的公共圖書館（如國立中央圖書館台灣分館、省立台中圖書館、台北市立圖書館）及少數私人公共圖書館（如行天宮圖書館、洪建全視聽圖書館等）設置較有規模的兒童室。

近年來由於國家經濟繁榮，國民生活水準日漸提高，大衆對兒童敎育及兒童身心之發展也漸重視，各縣市圖書館也紛紛設置兒童室。「兒童服務爲圖書館服務中最重要部分」（註八）的目標雖非於短期內所能實現，但這已是時勢所趨，更是我國今後發展公共圖書館業務應努力之方向。

兒童室既爲公共圖書館之一部門，其於一圖書館中居

何種地位，純視該圖書館行政體制如何而定。就我國情況
而言，兒童室隸屬於典藏或閱覽組之情形較多（參見圖表
1-1，1-2於後）在公共圖書館制度本身仍待確實建立的今
天，兒童部門在我國圖書館行政體系中，其地位是可以想
見的。

叁　美國的兒童圖書館

美國公共圖書館歷史悠久，制度完善，其行政組織層
次分明，分工細密。今謹就大、中、小三型圖書館（註九）略述
於後，以供我國日後公共圖書館，尤其是兒童部門發展之
參考與借鏡。

小型公共圖書館由於編制有限，專業圖書館員（*librar-
ian*）人數有限，如館內僅專業館員一人，則他將身兼
數職，不僅是館長或主任（*Branch Librarian*），也兼任參考
館員（*Reference Librarian*）、分類編目者（*Cataloger*）
公共關係專家（*Public Relations' Specialist*）、兒童
圖書館員（*Children's Librarian*）……等職，在此種
情形下，兒童室通常便祇是設置在一般閱覽室（*General
Reading Room*）的一角，兒童服務則由曾受專業訓練之
兒圖館員，或專業的全材館員（*Generalist*）、成人服務
圖書館員（*Adult Librarian*），甚至在專業人力缺乏時，

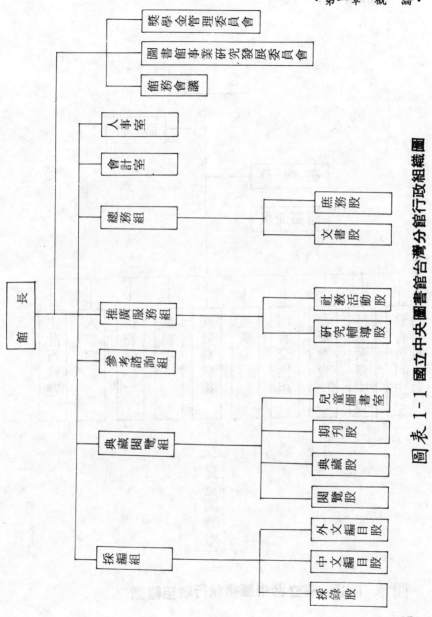

圖表 1-1 國立中央圖書館臺灣分館行政組織圖

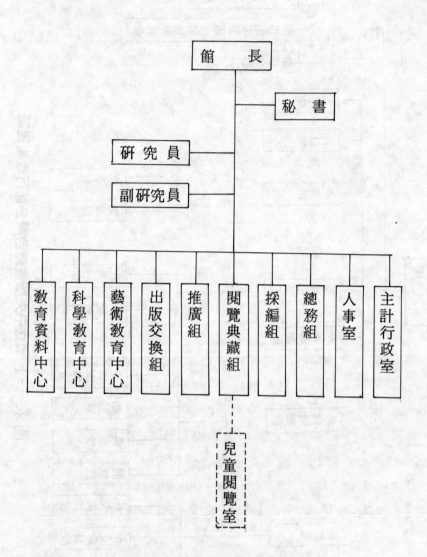

圖表 1-2　省立台中圖書館行政組織圖

也可能由非專業館員（ *Non-professional Staff* ）提供。
但負責兒童服務的非專業館員，皆必須受相當訓練或有爲
兒童服務之經歷及意願者，如曾受高等教育而對兒童服務
有興趣者，曾受高等教育而爲人父母者，對教育兒童有經驗
之轉任者，或退休之小學教師等，除此之外，絕不能濫竽充
數，而提供不夠水準的服務。此型圖書館的行政組織簡單，
辦起事來較直接並有效率，館內成人與兒童服務均受到同
樣的重視。如果該社區學前及學齡兒童特多，圖書館爲了
滿足讀者之需要，可能更加強兒童服務。美國紐約市布魯
克林公共圖書館系統（ *Brooklyn Public Library System* ）
曾一度有社區中心（ *Community Centers* ）制度之設立，
中心唯一之專業圖書館員爲專業之兒童圖書館員，他主持
全館的專業性工作，但工作重點爲兒童服務，另外有
中心經理 （ *Center Manager* ）爲非專業人員，主管
館內非專業性事務管理工作，而鄰近之數個社區中心又共
同屬於一「分區」（ *District* ）（參見圖表1-3）。今
日美國公共圖書館發展趨勢逐漸步向「地區制」（ *Regional
System* ），地區內之各圖書館盡量合作，以便於人力、物
力的調配。該地區通常有一兒童服務專家（ *Children's
Specialist* ）或（ *Children's Consultant* ）或
（ *Children's Coordinator* ）負責指導並協調該地區內之
兒童服務。

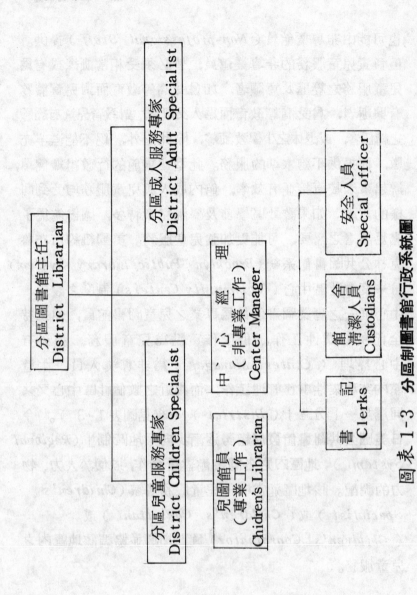

圖表 1-3 分區制圖書館行政系統圖

　　中型公共圖書館較具規模，在編制上除了有負責各種專業工作（*Professional work*）與非專業工作（*Non-professional work*）（參見圖表 1-4，1-5 於後）之特定人員外，館舍也比較寬敞。除總館（*Main Library*）外，爲推廣服務，尚有分館（*branch*）之設立。各圖書館皆以有專門之兒童室爲原則，並有專業兒童圖書館員主持該室業務。總館兒童室主任常兼爲各分館兒童圖書館員的督導者，或另設置一兒童服務部門（*Children's Services Department*）並由該部門負責人（*Children's Superintendent or Children's Specialist*）綜理有關兒童服務事宜。

　　大型公共圖書館則因其規模龐大，通常稱之謂公共圖書館系統（*Public Library System*），此系統轄下有各種性質及規模不同的圖書館，是一相當嚴密的行政組織體系。美國各大都市地區如紐約、舊金山、洛杉磯等地皆設置此種公共圖書館系統。系統內有兒童服務行政部門，其負責人，兒童服務協調主任（*Children's Coordinator*）綜管全系統總館、分館或其他推廣機構的兒童服務，負責其部門與系統內其他部門協調，其下更設置兒童服務專家（*Children's Specialist*）數人，分別負責實際督導各分區兒童室。

　　後面謹以歷史悠久，規模龐大，且以公衆服務著稱之紐約市布魯克林公共圖書館系統（*Brooklyn Public*

BROOKLYN PUBLIC LIBRARY

TRAINING CHECK LIST FOR ALL PROFESSIONAL AND TRAINEE STAFF

Transferee:
  To:
  From:

The duties in which transferee has been trained are checked below.

ADMINISTRATIVE AND TECHNICAL	BOOK COLLECTION	READERS' SERVICES
—Reports	—Interchange and Reserves, Revision	—Programs within Library
—Knowledge of Clerical Routines	—Pamphlet file	—Community work
—Conducting meetings for all staff	—Selection	——Attend meetings
—Responsibility for Unit	——periodicals	——Give talks
—Supervision	——books	—Readers' Advisory Service
—Training	——paper-backs	——Adults and Young Teens
—Exhibits	——gifts	——Children
——Planning	—Reviews	—Knowledge of reference tools
——Execution	—Weeding	—Reference Service
	——discards	—Reports on monthly service
	——binders	
	——transfers	

List any special knowledge or skills transferee may have
(e.g., knows a foreign language, has a subject specialization, etc.)

圖表 1-4

Library System ）爲實例，就公共圖書館之兒童服務部
門經營、管理加以闡述探討。現先將該系統的行政結構圖
解於後，期能藉此個案使讀者對美國公共圖書館兒童部門
在其行政體系中的地位，及在分館中的地位有更深一層的
認識，俾作爲日後發展國內兒童圖書館事業之參考與借鏡。
自圖表 1 - 6 可以瞭解：

　　㈠兒童服務部門與總館管理、分館管理、成人（包括青少
年）服務及推廣等五部門爲同等的平行單位，皆隸屬於兩
大類服務之一的公衆服務。

　　㈡兒童服務部門主其事者爲兒童服務協調主任，他和
其他四部門主任皆直接對公衆服務之主管（ *Chief* ）負責，
其上更有副館長（ *Deputy Director* ）、館長（ *Director* ）
及董事會與董事會主席。

　　綜觀後頁圖表 1 - 7，1 - 8，1 - 9，及前面 1 - 3 瞭解：

　　㈠在分館中，不論規模大小，兒童服務與成人（包括
青少年）服務是同等重要的。

　　㈡兒圖館員負責提供兒童服務之專業工作。

　　㈢分館之兒圖館員在圖書館行政上對分館主任負責，
惟於有關兒童服務業務，則直接受上級兒童服務協調主任或
分區兒童服務專家之督導。事實上，分館主任也很少過問
兒童室的作業，從分配購書經費、選擇圖書資料，乃至籌
劃及擧辦各種活動，一切均由兒圖館員自行決奪。

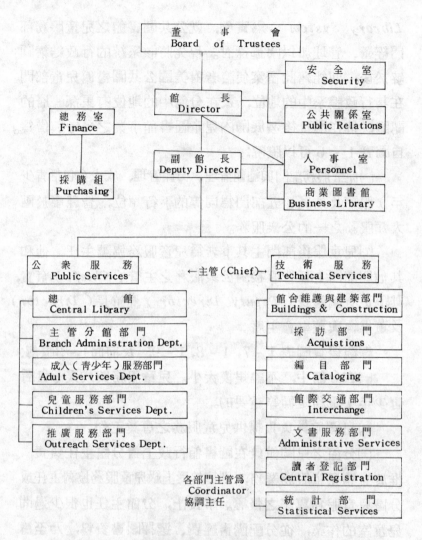

圖表 1-6　布魯克林公共圖書館系統行政體系圖

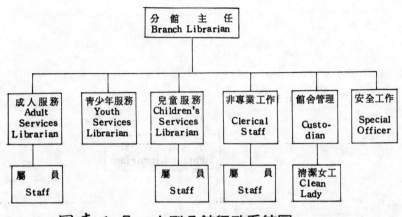

圖表 1-7　　大型分館行政系統圖

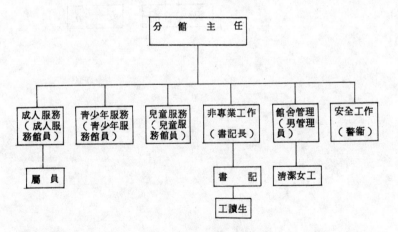

圖表 1-8　　中型分館行政系統圖

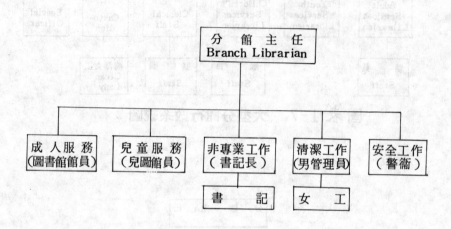

圖表 1-9　　小型分館行政系統圖

肆 美國兒童圖書館存在之哲學與發展背景

　　美國公共圖書館制度中，兒童服務受到特殊重視是不容諱言的。其圖書館在地方社區中所據地位，猶如社區中之郵局、市場、教室，已是民衆日常生活不可或缺的部份。美國國民重視並利用圖書館之觀念能普遍建立，乃至兒童服務之所以能受到不尋常的重視，可由其兒童圖書館存在之哲學及發展背景加以闡述。

　　㈠一八七六年美國圖書館先進杜威先生曾於文獻中提出: 學校教育孩子們閱讀，公共圖書館提供大衆終身閱讀之資料，應將公衆教育（ *public education* ）分爲同等重要及同等重視之兩部份，即公立學校（ *public schools*）及公共圖書館（ *public libraries*）（ 註十 ）。

　　㈡美國乃推行民主政治之國家，深信知識是選民充分發揮「選擧機器」之要件。公共圖書館乃所謂「民衆大學」（*People's University*）（註十一），爲提供知識最有效之場所。今日之兒童乃明日之選民，公共圖書館能做好兒童服務，便可說是爲日後的民主政治奠定了良好基礎。由於美國社會普遍接受這個觀點，因此公共圖書館不僅提供兒童服務，並且是儘可能地提供最佳的服務。

　　㈢自十八世紀以來，由於心理學家、教育學家對人類

的發展有了更透徹的瞭解，意識到兒童猶如成人，亦爲一獨立之個人，其不同處，在於各據人生發展過程中的一個不同階段，各有其特性。兒童圖書館之設立卽在滿足其特定服務對象之閱讀興趣與需要。

㈣多年來美國之兒童圖書館員們仍堅持一基本信念：閱讀及其他大衆傳播之方式爲孩子們帶來無窮的快樂與益處，在這個基本信念下，兒童服務之原則乃在擴大兒童之知識領域，刺激其好奇心，訓練其獨立思考之能力。*Harriet Long* 所著之 *Rich the Treasure* 中曾列出兒童圖書館員工作之目標（註十二）：

(1)讓讀者容易且樂於使用範圍廣泛且多元化之館藏。

(2)指導兒童選擇圖書資料。

(3)培養兒童自動自發地享受閱讀之樂趣。

(4)養成兒童從小利用圖書館之習慣，並鼓勵其將來利用公共圖書館之資源，繼續終身敎育。

(5)協助兒童全面發展其個別能力及適應社會環境之能力。

(6)發揮兒童圖書館之功能，使其與其他有關兒童福利之機構共同結合爲該地之社敎力量。

對美國的兒童們而言，兒童圖書館是除了家庭、學校以外，成人社會裏最可愛的場所——他們最喜愛去且最受歡迎的地方。多年前歐洲學者 *Paul Hazard* 到美國參觀

兒童圖書館後，曾稱讚其爲「美國之一種創新」（ *An American innovation* ）（ 註十三 ）。美國的兒童圖書館誠如學者 *Anne Carrol.Moore* 所說：「兒童圖書館是將兒童與圖書快樂地結合在一起的地方」（ 註十四 ）。

(五)美國兒童圖書館事業有今日之成就，固然爲無數拓荒者經近百年之努力成果。惟近年來兒童圖書館員們繼續努力求改進，隨著社會的變遷，儘量提供適合利用者需要之服務，也著實貢獻良多，使圖書館成爲社區名符其實的教育、資料及活動中心，爲大衆解決許多日常生活上的疑難問題，提供其他機構無法取代的服務，實爲兒童服務受重視之重要原因之一。

伍 我國兒童圖書館之發展

我國圖書館淵源於淸末變法運動。在革新富強、創辦學堂、提倡教育之情勢下，利用圖書館的風氣也盛行起來，我國之兒童圖書館事業便發端於此時。兒童閱覽室、兒童書庫、兒童讀書會在此時逐漸設立。當時，它們多是附設於民衆圖書館。宣統元年（民前三年）「兒童圖書館」一文刊登於教育雜誌之二卷二期，次年「設立圖書館辦法」一文刊於同一雜誌，以後有關兒童圖書館的文獻繼續出現於各期刊（ 註十五 ），可見有關兒童圖書館的問題已漸受

各界之重視。從各方資料觀察，民國十四年至二十五年間
可謂爲我國兒童圖書館事業之萌芽期，兒童圖書館紛紛成
立於全國各地。不幸抗日戰爭爆發後，我國兒童圖書館事
業的發展因而陷入停頓狀況。

　　政府遷台以後，我國之兒童圖書館事業開始在生活安
定之台灣省復甦。民國五十二年，社會公益團體如扶輪社
支援成立高雄市兒童圖書館；教育廳於民國五十五年召集
會議研討供應兒童讀物和設置兒童圖書館事宜，加強圖書
館教育，訓練各國民學校圖書館教師。民國五十八年，教
育部長期發展國民小學教育工作計劃中，明訂獎勵優良兒
童讀物，並計劃設置八百所兒童圖書館（註十六）。如今
經歷十餘寒暑，我國小學圖書館仍舊不夠普遍及完善。社
區兒童圖書館如國立中央圖書館台灣分館、省立台中圖書
館、台北市立圖書館、台南中正圖書館、高雄市立圖書館
等均設有兒童閱覽室。基隆市圖書館和澎湖圖書館備有巡
迴車服務學校或社區兒童。最近數年，由於科技進步，資
料型態擴大，社會日趨繁榮，民間日趨富庶，民間和政府
皆鼓勵兒童圖書之寫作和出版（註十七）。私人企業贊助
之視聽圖書館如洪建全及國語日報圖書館加入了對兒童服
務之陣容；行天宮附設圖書館於六十七年元旦開幕，其分
館亦於六十九年七月開始提供兒童服務。徐元智基金會和
信誼基金會也均贊助了兒童圖書館之成立，民國六十八年

兒童節，國立台灣師範大學獲得徐元智基金會贊助，成立
了實習兒童圖書館（ 註十八 ）。自政府於民國六十六年亟
力倡導文化建設以來，各縣市紛紛建立文化中心，並以設
立圖書館爲首要。而建築宏偉之高雄市文化中心於民國七
十一年已開始提供兒童服務（ 註十九 ）。

附 註

註 一：Allen Kent, *Encyclopedia of Library
and Information Science* v.4（New York
: Marcel Deker, 1970）, p. 561.
又見 吳鼎, 兒童文學研究, 三版（台北：遠流出版社,
民國六九年）, p. 3.

註 二：吳鼎, 兒童文學研究, p. 2.

註 三：Allen Kent , p. 559.

註 四：國立中央圖書館編, 第二次中華民國圖書館年鑑（臺北：該
館印行 , 民國七十七年）p.30.

註 五：參見註四, p.423-424.

註 六：參見註四, p.36.

註 七：參見註四, p.423-424.

註 八：Jesse H. Shera , *Introduction to Library*

　　　　　　Science （ Littleton, Colorado：Libraries
　　　　　　Unlimited, 1976 ）, p.57.

註　九：Selma K. Richardson, *Children's Services of*
　　　　　Pvblic Libraries （Illinois：University of Illinois
　　　　　Graduate school of Library Science,1978),p.77-97.

註　十：Jean Key Gates, *Introduction to Librarian-*
　　　　　ship, 2 nd ed. （New York：McGraw-Hill,
　　　　　1976 ）, p.239.

註 十一：王振鵠, 「美國公共圖書館制度」, 教育資料科學月刊第
　　　　　十四卷第二期（民國六七年十月）, p.2.

註 十二：Harriet G. Long, *Rich the Treasure* （Chi-
　　　　　cago：ALA, 1953) p.15.

註 十三：Elizabeth H. Gross, *Public Library Ser-*
　　　　　vice to Children （ Dobbs Ferry：Oceana
　　　　　Publications, 1967 ）, p.7

註 十四：參見註一, p.541。

註 十五：馬景賢, 兒童文學論著索引（臺北：書評書目出版社, 民
　　　　　國六四年）, p.67, p.72。

註 十六：張鼎鍾, 「兒童圖書館的發展與文化建設」, 社教系刊第
　　　　　七期（民國六八年六月）：頁89。

註 十七：「兒童圖書館發展座談會紀實」, 中央日報（讀書版）,
　　　　　民國六九年四月三十日。

註　十八：參見註十六。

註　十九：鄭雪玫，「談文化中心」，中央月刊第十五卷第四期
　　　　　　（民國七二年二月）：頁47-49。

第二章　兒童圖書館員

　　兒童圖書館員（ *Children's Librarian* ）簡稱兒圖館
員，爲公共圖書館中主持兒童室一切有關業務的專業館員
（ *Professional Librarian* ），由於其服務對象、業務性
質及重點的不同，是以有別於圖書館中其他的專業館員，
如成人（服務）館員（ *Adult Librarian* ）、靑少年（服
務）館員（ *Youth Services Librarian, Young Teen's
Librarian or Young Adult Librarian* ）等。兒圖館員除
具有專業館員之資格，專長於兒童服務，並且是圖書館行
政體系中之一單位主管，負責管理、督導兒童室的行政工
作。其職務包括編列預算，分配運用兒童資料之經費，籌
劃並執行兒童室內之各項靜態、動態服務，如閱讀指導、

參考服務、說故事、班訪（ *Class Visit* ）等，選擇、組
織、利用資料，佈置閱覽室，與圖書館內各單位協調合作
及與社區中其他團體機構的聯繫配合等等。實際上，兒圖
館員身兼數職，他是行政管理人，也是讀者顧問、參考服
務員、編目員、公共關係專家、讀者們的朋友。當然，每
位兒圖館員的職責也因其服務所在圖書館的規模大小，本
身職位的高低，經驗多寡而有所不同。

美國兒童圖書館界先進奧爾克特女士 （ *Frances*
Jenkins Olcott ）於二十世紀初積極提倡訓練專業的兒童
圖書館員時曾說：「一位成功的兒圖館員是天生的，而非
後天造成的。因爲，一位兒童服務者必須對孩子們具有同
情心及特別的瞭解能力。否則，她就無法爲兒童謀福利，
這是天生的特質。即使具有這種天生的特質，但假若她未
曾接受過專業訓練，也不可能勝任兒童圖書館員的工作。」
（註一），今爰就兒圖館員應具備的個人條件、資格、訓
練分別探討於後。

壹　個人條件

兒圖館員究竟應該具備那些個人條件，綜合國內外兒
童圖書館界各種有關文獻之論點，有下列共同認定的五項
（註二）：

㈠天性喜愛兒童，且易與他們溝通，更以爲兒童服務爲樂趣。

㈡常識豐富，能隨機應變地爲兒童解答課業上或其他課外閱讀有關之各種問題。

㈢優異的口述表達能力。

㈣喜愛閱讀各種類的兒童讀物及資料，且對他們有深刻的認識。

㈤身體健壯，熱心服務。

兒圖館員和一般從事公衆服務（ *public services* ）工作者一樣，應具備開朗、外向、易與人相處及熱心服務的性格，惟爲兒童服務更須具有無比的愛心、耐心、誠心及童心。並非喜愛孩童者卽能勝任兒圖館員的工作，更非每位圖書館員皆能負責兒童室的工作。稱得上理想的兒圖館員並非如「汗牛充棟」，通常國外各圖書館均常有「兒圖館員荒」，一位有經驗的兒圖館員常被出版社以高薪「挖角」。她們有書本知識（ *book knowledge* ），又瞭解兒童閱讀的興趣與習慣，正是出版社兒童編輯部的好人選。國外各公共圖書館訓練圖書館員之最終目標，是培植他們成爲全材館員（ *generalist* ），兼顧成人及兒童服務。但一般成人服務館員皆不願進入兒童室工作，因爲他們對兒童欠缺瞭解與耐性，缺乏兒童讀物的書本知識，又難以應付小讀者們旣直接又肯定的詢問， "*Where is Encyclo-*

pedia Brown ? ”　　（註三）（百科全書 *Brown* 在何處?）
是一個典型的例子。

　　圖書館員與讀者之間應建立良好的關係，有人甚至比
喻爲店員與顧客的關係，而兒圖館員與小讀者間的關係，
事實上是更親密得多。兒圖館員若對讀者們有深澈的瞭解，
便更能確切提供他們所需的服務。美國伊利諾州的爾班納
市公共圖書館曾經以問卷調查該地區兒童對其兒圖館員的看
法，結果顯示他們大多認爲該館兒圖館員是「和藹可親
的」，而且也「能提供他們所需要的服務」。並以下列形
容詞描繪一個受歡迎的兒圖館員爲：「快樂的」、「聰明
的」、「智慧的」、「戲劇化的」、「風趣的」、「善解
人意的」、「開朗的」、「有禮貌的」……（註四），我
相信爾班納市公共圖書館的兒童室，必然是一所成功的兒
童圖書館，而該館必也是一所夠水準的公共圖書館。因爲，
兒童服務是公共圖書館服務中極重要的一環，一所健全的
公共圖書館，方能提供良好的兒童服務。同樣地，能提供
良好兒童服務的公共圖書館，方可被稱爲一所健全的圖書
館。

貳　專業敎育

　　兒圖館員應接受的專業敎育標準，因目前各國兒童圖

書館事業發展階段不同而異。國際圖書館協會聯盟（*Inter-national Federation of Library Associations IFLA*）兒童部門於一九七〇年出版 *Library Service to Children, volume* 3 即曾彙集比利時、保加利亞、加拿大、丹麥、東德、西德、荷蘭、匈牙利、波蘭、羅馬尼亞、瑞典、瑞士、英國、美國、蘇俄、捷克斯拉夫等歐美國家訓練兒圖館員概況，以作世界各國訓練兒童圖書館員之參考。其資料對我國訓練兒圖館員頗具參考價值。參加編撰該文獻的十八個國家皆包括「兒童圖書館服務」（*Children's Library Work*）及「兒童文學」（*Children's Literature*）於各國圖書館專業教育必修課程內。該文獻更顯示，當時各國尚未對如何與社區內其他機構、團體合作，視聽資料、兒童心理學、社會學等相關課程予以重視。參加該會代表們對討論結果有下列建議（註五）：

㈠公共圖書館專業館員必須深切瞭解「兒童服務」之專門性及重要性，因此，「兒童（圖書館）服務」應列為訓練公共圖書館員的必修課目。

㈡應提供有關兒圖館員業務之特別訓練及研究課程。

㈢確認兒童圖書館員與公共圖書館其他專業館員具同等地位，並有同樣的升遷機會。

國外訓練兒圖館員的專業課程一般均包括下列各課目：兒童圖書館行政——籌劃及經營學校圖書館與兒童圖書館，

兒童心理學，學校課程與教育方法，與社團、機構（醫院、學校、出版社、大衆傳播界等）的合作，兒童圖書館公衆服務（閱讀指導、參考服務、各種活動等），兒童文學（歷史背景與發展、資料選擇、撰寫書評、世界兒童文學等），視聽資料（製作與利用），兒童讀物（書目、資料、利用等）（註六），近年來，美國圖書館教育界雖曾一再修改專業課程，以培養合乎時代需要的圖書館員，然仍對其現行圖書教育制度有所詬病。認爲現制度下，無論在「質」或「量」方面，均未能訓練足夠合格的專業圖書館員，來擔任各方面的工作。因而，仍在繼續致力於擬訂一更能配合現實需求的全國性整體圖書館學繼續教育計劃（註七）。

　　國內目前已有五所大專院校提供大學部圖書館學課程。其中國立台灣師範大學於民國四十四年設社會教育學系，下設圖書館組。國立台灣大學於民國五十年創設圖書館學系。世界新聞專科學校於民國五十三年創辦圖書資料科。私立輔仁大學於民國五十九年在文學院內設圖書館系。私立淡江大學於民國六十年設教育資料科學系，可以說是目前台灣圖書館教育發展之主體（註八）。除世界新聞專科學校外，其餘四所大學皆提供學校圖書館、兒童圖書館、兒童文學、靑少年兒童讀物、視聽資料等基本課程以訓練兒童圖書館員。

叁　在職訓練

　　對一般圖書館員或兒童圖書館員來講，圖書館學校教育結束的一天，便是專業訓練另一階段的開始。而學校教育的學科成績優良，並非是日後有能力提供良好圖書館服務的絕對保證。良好的圖書館員的訓練與培養是一個漫長的過程，有賴於實務經驗（ *practical training* ）的吸取。國外具有規模的公共圖書館均爲新進館員計劃各種在職訓練（ *on the job training* ）與職外訓練（ *off the job training*)（ 註九 ），前者如舉辦與各種業務有關之研習會、工作討論會、專題演講、參觀、觀摩、 工作輪調、考績（參見圖表２—１）等方式。後者如鼓勵個人進修，積極參加各種專業組織及學術會議，繼續在學校選修圖書館學、資訊科學或其他與業務有關的新課程，或更進一步對兒童圖書館服務的某一方面作專題研究，發表論文等。其目的不外在使圖書館員繼續不間斷地充實其個人的內涵，擴大其專業知識領域，提高全仁們的工作效率與工作興趣。

肆　訓練過程實例

　　後面謹以美國紐約市立布魯克林公共圖書館的實例，

BROOKLYN PUBLIC LIBRARY
PERSONNEL SERVICE RATING

Date _____

Return to Personnel by _____

NAME _____ CLASSIFICATION _____

ASSIGNMENT OR WORKING TITLE _____ UNIT _____

OCCASION FOR REVIEW

Appointment (6mos.) _____   Transfer _____   Annual _____
Other _____

EVALUATION   (To be completed by immediate Supervisor)

OVERALL PERFORMANCE: Superior ____ + ____   Satisfactory _____   Unsatisfactory _____

RECOMMENDATIONS: Promotion _____   Transfer _____   Remain in present position _____
                     Other (specify) _____

If item is not applicable, place an asterisk (*) before the item number.

JOB PERFORMANCE	Superior	+	Satisfactory	Unsatisfactory
1. Amount of work performed	☐	☐	☐	☐
2. Accuracy	☐	☐	☐	☐
3. Organization of work	☐	☐	☐	☐
4. Judgment	☐	☐	☐	☐
5. Communication (oral & written)	☐	☐	☐	☐
6. Meeting and handling the public	☐	☐	☐	☐

PERSONAL				
7. Initiative	☐	☐	☐	☐
8. Adaptability	☐	☐	☐	☐
9. Attitude toward criticism	☐	☐	☐	☐
10. Cooperativeness	☐	☐	☐	☐
11. Relations with fellow workers	☐	☐	☐	☐
12. Self-confidence	☐	☐	☐	☐
13. Punctuality	☐	☐	☐	☐
14. Health	☐	☐	☐	☐

SUPERVISORY ABILITY
(When applicable)

	Superior	+	Satisfactory	Unsatisfactory
15. Planning and assigning	☐	☐	☐	☐
16. Training and instructing	☐	☐	☐	☐
17. Evaluating performance	☐	☐	☐	☐
18. Fairness and impartiality	☐	☐	☐	☐
19. Approachability	☐	☐	☐	☐
20. Leadership	☐	☐	☐	☐

Do Not Write In This Space

Director_____
Dep. Director_____
Asst. Director ____ ____
Supt. of Branches_____
Asst.Supt. of Branches____
Personnel Director_____
Asst. Personnel Dir._____
A.S. Coordinator_____
A.S. Coordinator_____
J. Coordinator_____
Promotions Board_____

Pers-32 4/75 2,000

PERSONNEL COPY

圖表 2-1　（正面）

21. COMMENTS: (use additional sheet as needed - include specific comment on overall potential of each individual rated.)
(By immediate Supervisor)

22. COMMENTS: (use additional sheet if needed)
(By appropriate second supervisor; e.g. Branch Librarian, Community Library Manager, Division Chief)

This report is based on my observation and/or knowledge. It represents my best judgment of the employee's performance.

Rater #1 _____ Date _____

    Position _____

Rater # 2 _____ Date _____

    Position _____

I have received a copy of this report and discussed it with the rater.

Ratee's signature _____ Date _____

Signature indicates opportunity to see and discuss. It does not necessarily connote agreement with contents.

圖表 2-1 （背面）

來闡明一公共圖書館對剛踏出圖書館學研究所大門新兒圖
館員如何訓練及培養的過程。

　　研究生畢業前，各圖書館及公私機構需要圖書館學人
材者，皆派代表來校訪問，約談有意被雇者。布魯克林公
共圖書館兒童服務部協調主任至學校作物色新人訪問，經
面談合意後，即再以書面函邀。一經獲得碩士學位，即按
預定時間至布魯克林公共圖書館人事室報到，隨即被分發
至一大型分館（服務人數五萬人以上，每年資料外流量近
十萬以上）任助理兒童圖書館員（ *Assistant Children's
Librarian* ），追隨一資深兒圖館員，接受他的個別指導，
並吸取他的工作經驗與方法。同時又在分館主任安排下獲
得一般館員的專業及非專業工作的訓練機會，以瞭解圖書
館整體作業情形。此半年的實際經驗，也幫助剛出校門祇
知理論的學生，轉型變為圖書館的實務工作者。開始派任
公眾服務後，每日面對讀者的詢問，當然難免有時不知所
措，惟負責輔導訓練的資深兒圖館員總是和藹地鼓勵與支
持，幫助新同仁建立自信心。在開始工作的一段期間，新
館員由於對館藏不熟悉，字典、人名辭典、地名辭典、百
科全書、各類標準書目等參考工具書，便是最簡易的大幫
手。在派任參考服務時，新圖書館員便深深體會到把握和
讀者交談機會的重要性，盡量在最短時間內，瞭解對方的
背景和需要，絕不輕易說：「沒有這種資料」。圖書館的

工作，並非如一般人所誤解地認爲是「千篇一律的」。但是，事實上，每天都有例行工作（ *routines* ），久而久之，便熟悉了一般例行工作，也領會了不少工作上的技巧。依據圖書館的經營管理政策，每個圖書館皆有其行政系統及工作分配制度，通常以圖表示之，而圖書館內每人各有工作崗位與職責。兒童圖書館員在圖書館中，也有獨當一面代理館務的時候，因而「擔任主管」也被列爲訓練項目之一。確實，「擔任主管」的責任大，對這新館員而言，儼然是難以承受之艱鉅責任。不過，這項目卻給予新館員難得的機會，對圖書館內整體作業有個粗淺的瞭解，更給予新館員對館務，除了自身的觀點外，有另一個由上而下的主管的觀點。如此，日後在推行館務的配合及協調方面，也會獲得莫大裨益。

　　在分館服務半年後，卒被調至總館兒童室（ *Central Children's Room* ）工作。依其藏書規模及人員編制而言，此兒童室實質上是一獨立的兒童圖書館，爲全系統中五十九個兒童室中最具規模者。場地寬敞，藏書豐富，專業兒童圖書館員便有六、七位之多。該室搜羅各類型及不同語言的兒童讀物，而且複本特多，以備外借各分館之用。另外，更設置兒童特別館藏（ *special collection* ）專供兒童圖書館員、兒童文學研究者、兒童讀物插畫家等研究之用，更藏有內容豐富、利用價值甚高的圖畫、小册子、剪

報檔案等等。是以在此處工作的經驗，極有助於兒圖館員書本知識的增強與充實。此室兒圖館員有數人，因而分工較細，使每一館員有充份機會深入地瞭解自身作業，並盡量做得盡善盡美。兒圖館員相處一室能相互地切磋及交換心得，定期舉辦的專題討論會、研習會、讀物研討會等專業活動，也確使各人得益匪淺。新館員在此兼具有研究圖書館性質的兒童室工作的一年中，除從事一般公衆服務外，專注於圖畫、小冊子、剪報檔案資料的收集及管理，並且主持低年級班訪（*class visit*）及圖畫故事時間（*picture book hour*）、學前時間（*pre-school hour*）等活動。無論在書本知識、服務、圖書館行政，乃至做人處世方面都獲得良好的訓練。再加上總館及全系統的行政中樞都集中在此，經常耳濡目染，因而對全系統的行政，各部門的組織、作業、服務、資料有較多的認識。

在總館兒童室工作後，隨卽被派至分區制度（*District System*）（參見第一章分區制度圖表 1 — 3 ）中一規模不大，但以兒童服務爲工作重點的社區圖書館（*Community Library or Community Center*）擔任兒圖館員的工作。因爲圖書館常面臨「有館無員」缺少專業圖書館員的嚴重問題，祇得斟酌社區的需要，減少成人服務，保持兒童服務，並利用資深的非專業人員負責管理工作。在此種安排下，自然加重了兒圖館員的工作量，也等於給予兒

圖館員更深一層的磨鍊。兒圖館員既爲全館唯一的專業館員，在通常情形下，總得爲成人讀者們提供服務，因而，整日便不得不奔走於兒童與成人讀者間。再者，社區圖書館的館藏小，圖書耗損率特高，常發生資料匱乏的現象，使服務更時有捉襟見肘的窘狀。在這種工作環境下，磨練一段時期，不僅培養了兒圖館員獨立工作的能耐，且更激發其任勞任怨的服務精神。

在獲得分區制度圖書館經歷後，便被派至各中型分館兒童室負責，因此，有機會獨當一面，憑構想、經驗、能力配合各圖書館的人力及物力資源，爲當地讀者設計他們所需要的靜態與動態服務。對此階段的兒圖館員而言，這確是非常富有挑戰性，且頗費心力而又能獲得滿足感的工作。同時，兒圖館員已進入另一階段，經常參與成人服務的活動，如：參考服務、館員書本討論會、書目編制小組、協助成人節目等。分館主任並輔導兒圖館員參與行政及督導方面的工作，如：主持分館全仁會議、考績（ *service rating* ）、分配專業工作、代表分館參加各種會議活動等，培養優良兒圖館員向行政主管（ *library administrator* ）及全材館員（ *generalist* ）方面發展（ 註十 ）。

兒圖館員昇任分館副主任，便是在行政系統上邁進了一大步。當分館主任休假或外出公幹時，由其代理館務。由於服務年資已較深，也因而負起館內人事及其他業務上

難題協調人（ *trouble shooter* ）的工作。惟大部份時間仍專注於兒童服務，並負責輔導及訓練準兒圖館員（ *children's librarian trainee* ）及助理兒童圖書館員（ *assistant children's librarian* ）。

兒圖館員發展至此階段，便將面臨其專業生涯的分歧點（或轉捩點）。圖書館行政當局將給予該館員行政性職務（分館主任）或專業性職務（兒童服務專家）的抉擇，自此，職務發展方向便有了分野。

兒圖館員不願放棄專門興趣（指兒童服務）者，卽昇任兒童服務專家（參見圖表１－３——布魯克林公共圖書館系統兒童公衆服務之督導者從上至下有：兒童服務協調主任一人，助理兒童服務協調主任一人，分區兒童服務專家數人，每分區一人。）主持分區圖書館兒童室的服務，並負責督導分區內各兒童室的業務，分區兒童服務專家，雖稱之爲專業人員，實質上，其職務多屬行政方面。如再調昇便是助理兒童服務協調主任；再上一層樓，便是兒童服務方面最高位——兒童服務協調主任。

布魯克林公共圖書館系統爲工作人員（專業、非專業性）安排一有計劃及漸進的在職訓練，使同仁將工作視爲終身職業，從工作中增加經驗，從經驗中謀求改進。該系統設有一升遷委員會，祇要工作表現良好，達到館方訂定的要求，便有升級的機會（參見圖表２－２——布魯克林

BROOKLYN PUBLIC LIBRARY

Personnel Review For Promotional Recommendation

Agency _____ Date _____

Review of Title from_____ To_____

Staff Member Under Consideration _____

A separate copy of this form should be completed for each staff member eligible for consideration for promotion to a category under review by the Promotions Board. Announcements pertaining to the review of categories and the deadline date for submission of this form appear in the Promotions Board Bulletin.

A definite recommendation for promotion, transfer, continuance in present position, etc. should be made for each staff member by his immediate supervisor. State appropriate justification for all recommendations. If supervisor has had insufficient opportunity to judge for recommendation, indicate period of time employee and supervisor have worked together in agency.

Supervisors are required to inform each individual rated of the total text being submitted to the Promotions Board, as well as imparting to each individual the reason for the decision rendered.

Use the space below for your recommendation and justification. The reverse side of the form may be used if additional space is needed.

"Kindly check off each of the appropriate boxes that are commensurate with the recommendation shown above."

Recommend Promotion☐   Not Interested☐
Do Not Recommend Promotion☐   Transfer☐
Not Qualified☐   Continuance in Present Position☐

_____   _____
Signature of Supervisor   Signature of Staff Member Under Consideration

圖表 2-2

公共圖書館人事室升等推薦表）。又有明確的輪調制度，使全人有轉換新環境，學習種種不同業務的機會，才不致喪失對工作的興趣。

在此，本人特別強調，公共圖書館員的在職訓練及館員主動學習意願在培養過程中的重要性。目前，國內兒童圖書館事業尚在起步階段，兒童圖書館的經營及如何訓練館員等方面，均尚未見具體規劃及明確制度。今日在國內各兒童室（包括學校圖書館、室）服務者，多屬未曾接受圖書館專業訓練者或非專任人員。他們的工作一般純屬靜態者，僅包括圖書資料分類編目、保存、借還圖書等技術性工作，極少提供參考、閱讀指導、舉辦活動等公衆服務性的核心工作。圖書館創立之初，專業與非專業工作即應劃分清楚，務必使曾受正式專業教育者負責資料選擇、採購、分類編目、閱讀指導、參考服務、辦活動等專業性工作，而事務性的工作如資料登記、出納、讀者登記、上架、排片等，可由經過訓練的助理員甚至工讀生擔任。國外圖書館界對於專業（ *professional* ）與非專業（ *non-professional* ）截然劃分的觀念極爲重視，且嚴於遵從專業性的工作由專業人員負責的原則。圖書館業務手冊中均將專業與非專業工作詳細列明，且極重視工作責任的分劃（ *job description*）(註十一),俾便工作人員的訓練、管理。充任兒童室負責人的兒童圖書館員，無論在專業教育及個

人性格方面，皆必須具備一定的標準，而非任何人均可濫
竽充數。目前國內圖書館工作人員所受專業敎育程度參差
不齊，其中有大專圖書館科系畢業生，曾參加中國圖書館
學會及其他有關機構擧辦的圖書館工作人員研習會、訓練
班等基本訓練的圖書館工作人員及甚至未曾接受過任何專
業訓練的人員。由於近年來國內圖書館界業者的呼籲及推
動，政府與社會已逐漸注視到圖書館的重要性。然而，國
內公共圖書館發展的遠景，眼前卻仍然是模糊不清。如今
國家政治昌明，經濟繁榮，社會富裕，國民生活水準提高，
閱讀需求也相應提高，建立良好的公共圖書館制度誠爲
當前的一大要務，而如何能訓練及培養一批專業的圖書館
員來支應衆多公共圖書館的建立，則更是當前迫切的急務。
日後兒童圖書館之發展亦繫諸於此，但祈政府當局及圖書
館業者能及早協力規劃培育圖書館專業人材方案，付諸實
行。

附　註

註　一：Elizabeth H. Gross, *Public Library Service to Children* (Dobbs Ferry： Oceana Publications, 1967), p.39.

註 二： Gross, chap.4 " The Children's Librarian " .

又見 Selma Richardson, *Children's Service of Pubilc Libraries* (Illinois： Univ. of Ill. Graduate School of Library Science, 1978)， p.57 — 61.

及鄭雪玟，「兒童圖書館員是什麼?」，兒童圖書與教育雜誌第一卷第六期 (民國七十年十二月)：頁6 - 8 。

註 三： *Encyclopedia Brown* 乃頗受歡迎之美國兒童讀物，Ency. Brown 為男孩 Leroy Brown 之綽號，因他為分析力，觀察力極強之「小偵探」，故朋友稱之為 " 活動百科 Brown " 。

註 四： Richardson, p.57.

註 五： Scandinavian Library Center, *Library Service to Children* 3. *Training*, (Copenhagen： Scandinavian Library Center, 1970)， p.9.

註 六： *Ibid.* p.11

註 七： Jean Key Gates, *Introduction to Librarianship*, 2nd ed. (New York：McGraw-Hill, 1976)， p.89 — 103.； Herbert White, " Library Education： A strategy for the future."*Wilson Library Bulletin* (*Oct.*, 1981)， p.104.

註 八：王振鵠, 郭麗玲，「圖書館教育」，中華民國圖書館年鑑 (民國七一年十二月)， p.252 — 261。

註 九 ： Carlton Rochell, *Wheeler and Goldhor's Practical Administration of Public Libraries* (New York: Harper and Row, 1981), p. 71 — 73.; Dorothy M. Broderick, *Library work with Children* (New York: H.W. Wilson, 1977), p. 139 — 147.

註 一〇 ： *Ibid.*

註 一一 ： Rochell, p. 85 — 88.

第三章 兒童圖書館藏

壹 兒童讀物之分類

貳 美國兒童圖書之分類

叁 我國兒童圖書之分類

肆 兒童的發展

伍 兒童的閱讀興趣

陸 圖書選擇政策與選擇標準

柒 圖書的選擇

捌 美國布魯克林公共圖書館選書實例

　　爲達成公衆服務目標，經營圖書館的三大要素爲館員、
館藏及館舍（包括設備）。一所兒童圖書館具有理想的館
舍及優秀的兒童圖書館員，如果其館內的圖書資料或館藏
卻不能滿足其服務對象的需要，則此圖書館的服務績效將
無法臻於理想。兒童館藏的內容，一般包括圖書與非書資
料（雜誌、報紙、小册子、地圖、畫片、剪輯、掛圖等印
刷資料；電影、幻燈片、唱片、錄音帶、錄影帶等視聽資
料及一些新型的資料如玩具、寵物、縮影資料、袖珍電腦
等）。但多數圖書館皆視圖書爲主要館藏。選擇兒童圖書，
除注意一般圖書選擇的原則外（註一），更應對其服務主
要對象兒童的需要、興趣、閱讀能力、閱讀習慣等，予以

特別考慮。

　　由於兒童的教育性、可塑性高，好奇心、求知慾又强，故就館藏內容言，理想的兒童館藏應屬多元性，可包涵不同閱讀程度，均衡而又能充份運用者。就性質言，理想的兒童館藏應具有知識性、娛樂性、事實性、虛構性等各方面的資料。因此，讀者不論年齡長幼，從學前至十四歲左右的兒童，均可獲得合乎興趣及閱讀能力的適當讀物。當一位七、八歲的小讀者左手拿著一本「中國童話故事」，右手夾著一本「太空科學」，滿意地步出圖書館，並高興地說：「這圖書館眞好，什麼書都有！」，那便是一好館藏的例證。

壹　兒童讀物之分類

　　兒童讀物的範圍很廣，學者們曾作不同的分類。盧震京先生認爲兒童讀物不僅是兒童文學、兒童參考書，成人讀物以外凡是一切供給兒童的書籍，不論是圖畫書，或是詩歌，或是童話，或是故事都是兒童讀物，並將兒童讀物分純文學及文學化的科學兩大類（註二）：

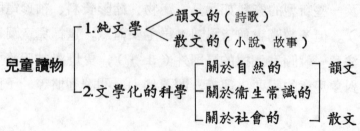

吳鼎先生則以「兒童文學」稱之，按文學的形式分四大類（註三）：

兒童文學
- 1.散文形式的：童話、故事、寓言、小說、神話、傳記、遊記、日記、笑話。
- 2.韻文形式的：韻語、兒歌、詩歌、彈詞、謎語。
- 3.戲劇形式的：話劇、歌劇。
- 4.圖畫形式的：連環圖畫、故事畫。

葛琳教授將兒童文學分作八大類（註四）：

1.幼兒文學：兒歌、圖畫書、圖畫故事書、重疊的故事。

2.詩歌：抒情詩、描寫詩、敘事詩。

3.現代故事：寫實故事、童話。

4.利用傳統資料編寫的故事：民間故事、神話、寓言。

5.利用歷史資料編寫的故事：歷史故事、傳記。

6.小說：短篇、長篇（寫實、冒險、童話、傳記）。

7.戲劇：話劇、廣播劇。

8.報導文學：建立觀念的書籍、辨認事物類別的書籍、動物世界、實驗性質的書籍、概念性的

報導書籍、專門性書籍、生活活動及手
工藝技巧的書籍。

大致上，兒童圖書館將館藏按資料的型態及用途分類：

兒童館藏
（資料型態）

1.印刷資料 ┬ 圖書。
└ 非書資料（雜誌、報紙、
小冊子、地圖、圖片、掛圖
等）。

2.非印刷資料——電影、幻燈片、錄音
帶、錄影帶、唱片、投
影片等視聽資料。

3.其他——縮影資料、玩具、寵物等。

兒童館藏
（用途）

1.兒童圖書資料 ┬ 一般館藏（可流通館外的
兒童讀物及其他資料）。
└ 參考館藏（供館內閱覽的
參考工具書）。

2.有關兒童的圖書資料（供成人讀者利用為
主）。

3.專業館藏（供專業人員或研究者利用）。

貳　美國兒童圖書之分類

　　圖書館爲便利讀者利用圖書及館員管理，通常採用一種分類方法，將館內藏書組織成一個有系統的整體。圖書分類法係以學術分類爲基本標準，將知識分爲總類、哲學、宗教、社會科學、自然科學、一般科學、語言、文學、藝術及史地等十大類。每大類下再分小類，並根據一定的理論體系以號碼或符號代表這些分類。如此一來，每一個分類號便代表一項學科內容的單元，也決定這一單元在學術體系中的地位。先進國家的兒童圖書館（包括學校圖書館及公共圖書館的兒童室），多採用適合該國國情的通用圖書館分類法，而摒棄以學校教學科目爲依據的標準分類法。如美國採用簡編的杜威十進分類法（註五）（Simplified Dewey Decimal Classification），日本採用日本十進分類法（Nippon Decimal Classification）等。今日的兒童爲明日的中學、大學、公共圖書館等的利用者，採用統一的圖書分類法，不僅便於讀者利用多類型圖書館的館藏，更有利於館際間合作的推行。

　　美國一般公共及學校圖書館採用杜威十進分類法組織館藏的方式，可自下面布魯克林公共圖書館兒童館藏分類實例之簡介，窺得其梗概：

　　㈠圖畫書類（*Picture Books*）　包括學前至二年級學齡兒童的讀物，如圖畫書（*picture books*），圖畫故事書（*picture story books*），簡單知識性讀物（*easy non-fiction* ）等。此類圖書不按分類法分類，按作者姓氏第一個字母Ａ、Ｂ、Ｃ……排架，通常貼一顏色帶（如白色）於書背以別於其他類的書。

㈡小說類（ *Fiction* ）　包括童話、民間故事、偵探故事、科幻故事、短篇故事集、一般小說等。此類圖書亦不按分類，而按作者姓氏第一字母排架，通常貼顏色帶於書背，以區別各書的內容；如黃色為科幻故事，紅色為偵探故事，綠色為童話及民間故事，藍色為短篇故事集等以便於檢索。

㈢非小說類（ *Non-Fiction* ）　採杜威十進分類法分為十大類，非小說類佔館藏大部份，按所給索書號排架。今就兒童常用類目，條舉說明如下：

0　總類（ *Generalities* ）：百科全書、索引、書目。

1　哲學（ *Philosophy* ）：鬼魂、巫術、超自然現象、心理學、哲學等。

2　宗教（ *Religions* ）：各種宗教、聖經故事、神話、傳奇等。

3　社會科學（ *Social Sciences* ）：交通、通訊、集郵、社區成員、職業、教育、軍隊、武器、戰爭、政府等。

4　語言文字學（ *Languages* ）：文字的起源，字典、

　　　　　　　　學習外語方法等。

5　自然科學（ *Natural Sciences* ）：實驗、天文、
　　　　　　　　化學、物理、地球學、動
　　　　　　　　植物、生物等。

6　應用科學（ *Applied Sciences* ）：機器、太空、
　　　　　　　　農藝、園藝、家政（烹飪、
　　　　　　　　縫紉）、製作模型、寵物
　　　　　　　　等。

7　藝術（ *Arts* ）：音樂、美術、勞作、遊戲、謎語、
　　　　　　　　運動、各種休閒活動等。

8　文學（ *Literature* ）：詩、詞、戲劇、論文、幽
　　　　　　　　默、寓言、笑話等。

9　史地（ *History and Geography* ）：各國地理遊
　　　　　　　　記、歷史、傳記等。

儘管學者們對杜威十進分類法有所批評，但是事實上，此
分類法標記簡單，且記憶容易，所以，至今在美國仍爲一
通行分類法，尤其更適合公共圖書館引用。

參　我國兒童圖書之分類

　　國內兒童圖書館館藏採用的分類法尚未統一。目前採
用者，據調查計有中國圖書分類法、中國圖書十進分類法、
中外圖書統一分類法，國民學校圖書暫行分類法、杜威十

進分類法，兒童圖書分類表等。除「兒童圖書分類表」爲
根據國民小學課程編製者外，其餘則皆以「杜威分類法」
爲骨幹，再各自酌增類目，期以適當地類分中國圖書。除
上述六種分類法外，亦有部份學校圖書館採用「行政院事
物管理手冊分類法」，或自編的分類法從事圖書的分類工
作（註六）。由前述事實可以綜結，我國目前尚無一可資
認定爲近乎理想的分類法。國內一般國民小學圖書館以採
用「杜威十進分類法」佔多數，尤以私立小學和各縣市立
國民小學爲最多；其次爲自編的分類法，再次爲「中外圖
書統一分類法」、「兒童圖書分類表」及「中國圖書分類
法」。「國民學校圖書暫行分類法」（註七）爲教育部於
民國五十七年三月所頒佈。此法係參照國內各圖書館通用
的分類法及國民學校圖書館的實際需要而擬訂。可能由於
擬訂頒佈的時間較晚，大部份的國小圖書館仍是蕭規曹隨，
延用舊法，因此此種分類法至今採用者並不多。再者，國
內兒童圖書出版狀況和各兒童圖書館的館藏情形，距離理
想的境界，尚有一段距離——翻譯和改寫的出版品與眞正
創作的出版品在數量上而言，比例依然懸殊。而兒童讀物
中小說類又佔絕大多數，非小說類的讀物奇少。這種種現
實情況，著實影響到我國兒童圖書館的快速發展，也使兒
童圖書館員不論在從事分類編目，或達成建立平衡的館藏
（ *Balanced collection* ）（註八）目標方面，都會遭到困

難。

　　依據圖書分類基本原則（註九），配合各館實際情形與需要，而促使各館圖書分類法趨於統一，可能是今後專業兒童圖書館員從事分類編目工作的努力方向。林武憲先生曾建議：「是否可以參考英法德等國對兒童讀物、兒童文學的分類法？是否可以邀請圖書館員、兒童文學的教授、作家等，大家集思廣益，爲這些問題找出『好答案』，使我國兒童讀物的分類更完善、更有條理，更簡便，以促進我國兒童讀物和兒童文學的發展！」（註十）。惟圖書分類是一項精密而且專門的工作，完全有賴學者，專業館員們不斷在理論與實務方面努力鑽研，經過一段艱鉅過程方能趨於完善。目前，圖館系學生及兒童圖書館工作人員已關注並發現分類法的一些問題，大家也朝這些方面找出「好答案」的階段踏近了一大步。兒童圖書的分類編目實在是兒童圖書館發展上的一大問題，尚待多方繼續努力，求理論與實務的融合而產生一通行實用而簡便的兒童圖書分類法。

肆　兒童的發展

　　兒童館藏乃以兒童爲主要服務對象的館藏。當然以合乎兒童閱讀，使用爲其特色。兒童圖書館員須對兒童及兒童讀物有深切的瞭解，才能建立一適合兒童需要的館藏，

達到「讓兒童與圖書快樂地結合在一起」(*Bringing children and books happily together*)(註十一)的目標。兒童的發展是多方面且並進的，它包括身體的發展(*physical development*)、認知的發展(*cognitive development*)、語言的發展(*language development*)性格的發展(*personality development*)等各方面(註十二)，也是兒圖館員適當選擇兒童讀物、建立館藏時，最重要的參考之一。兒童的年齡大致可以標明他發展的階段，但是近年來的研究更注意到兒童們生理方面(*biological*)，文化方面(*cultural*)及各人生活經驗方面交互作用(*interaction*)所產生的影響。兒童發展，是與兒童圖書館的理論有極密切關係的專門學問，另有其他專書討論，非作者在此章討論之重點。讀者如有興趣可參考 *Children's Literature in the Elementary School* 4 th *ed. by Charlotte S. Huck, pp.* 45-93 及葛琳教授著作──「兒童文學創作與欣賞」第二章「兒童文學與兒童發展」，及其他有關文獻。

伍　兒童的閱讀興趣

　　另一個在建立兒童館藏時，不可忽視的最重要參考便是兒童的閱讀興趣。兒童的閱讀興趣能反映出兒童時對一般事物的興趣。一般言之，有關動物故事，寫實小說

（故事），冒險小說、探險、傳記、歷史事件等，皆爲最
受歡迎之讀物，兒童欣賞此類故事中的幽默、虛構、懸疑、
動作等特色。近年來知識性讀物（非小說 *non-fiction* ）
也漸受歡迎。現代兒童喜愛自讀物中尋求新知——從太空
人至開國英雄；從賽車至潛水；從如何製作工藝品至研究
巫術等。此外，依據美國圖書館的經驗，下列因素也頗能
影響兒童的閱讀興趣：

　　㈠年齡與性別（ *age and sex* ）（註十三）：兒童的年
齡及年級與兒童閱讀興趣有關。兒童在九歲前（或稍早），
性別的差異影響閱讀興趣並不明顯，但當兒童在十歲至十
二歲左右期間，男女性閱讀興趣便有明顯的分歧。一般女
性兒童較喜閱讀，男性兒童則閱讀興趣較廣泛，所涉獵讀
物範圍亦較廣。女性兒童對愛情故事較早發生興趣，男性
兒童喜閱讀冒險故事，女性兒童喜歡想像故事，而二者喜
讀偵探故事則相同。男性兒童很少閱讀「女生的書」，但
女性兒童常閱讀「男生的書」。最近十年美國兒童出版業
有了突破性的發展，「女生」的故事內容漸脫離「典型」
故事，女生們的活動範圍擴大，她們可以做醫生、工程師、
足球運動員等，所以一般人不再將「男生的書」「女生的
書」過份的標明，因而兒童們的選擇也比較客觀些（註十
四）。

　　㈡心智年齡（ *mental age* ）：資質聰敏兒童的閱讀能

力常比同年齡普通兒童高三至四倍。普通兒童在十三歲以後由於對其他活動漸感興趣，他們的閱讀興趣漸減，此現象不常發生於資聰兒童。一般而言，兒童的閱讀習慣不因天資的高低有很大的差別，但資聰兒童閱讀的興趣通常比較廣泛（註十五）。

㈢書形（ *format*)：讀物的插畫、封面設計、書名、印刷字體等，都能影響兒童對讀物的選擇。學者卡柏（ *Dan Cappa*)研究二千五百名幼稚園學生選擇讀物的行為、曾作下列觀察：他們選擇讀物時考慮因素最重視插圖（34％），故事內容（ 30％)，其他為資料內容、幽默、驚奇、重複敍述等（註十六）。中年級的兒童常因某書字體太大，而認為該書太幼稚；書的封面如有女童相片，男童會視為「女生的書」；書名中如有不易明瞭的外語字，一般兒童會猶疑選擇該書等現象。

㈣閱讀環境（ *reading environment*)：兒童的閱讀環境能影響他閱讀興趣的發展。如兒童生活環境裡——教室、學校圖書館、家、公共圖書館、附近的書店等處，提供豐富的讀物，將有助於兒童閱讀興趣的增加。兒童日常接觸的人——父母、老師、兄姊、朋友等喜愛閱讀，由於他的「認同感」（ *identification*)，也有助於他個人閱讀興趣的培養。教育學家 *Getzels* 曾言： " *One cannot so much teach interests as offer appropriate models for identification*"（註十七）。要增加兒童的閱讀興趣, 莫過於提供他認同的榜樣; 史密斯說: "*The reading interests with which pupils come to school are the teacher's opportunity-the reading interests with which children leave school are the teacher's responsibility*（註十八）。「兒童進入學校前所培養的閱讀興趣, 是學校老師們可利用的機會; 兒童離開學校時所培養的閱讀興趣, 是老師們的職責。」這二句名言足令為人父母、老師們警惕。

總之, 負有教導兒童閱讀責任的人（老師、兒童圖書館員等）, 除了應瞭解兒童的發展過程、學習理論及他們各方面的興趣, 更應瞭解兒童在不同年齡中的特別性格與需要。我們重視兒童為一個別獨立的人, 因而在從事閱讀指導時應盡量觀察個別兒童, 以期利用對一般兒童的認識而對個別兒童給予適當的指導。哈克博士（*Charlotte S. Huck*）多年來從事兒童文學研究及教育工作, 曾對三至十二歲兒童的發展過程作深入研究, 提供一簡明的比較表, 述明各年齡兒童之閱讀傾向, 並附選擇讀物的參考書目（註十九）。葛琳教授於其著作「兒童文學——創作與欣賞」中採納此表, 並刪除西文參考書目而代之以中文選擇讀物參考書目。筆者於報刊亦曾發表這方面工作經驗（註二十）, 另許義宗先生著作「兒童閱讀的研究」（註廿一）,

此等資料皆可供兒圖館員、老師、學生們參考。

陸　圖書選擇政策與選擇標準

　　圖書館建立館藏是一有計劃、有目標的過程，每增加一書或一資料，都得經過審愼的考慮。但是，很多圖書館仍然擁有堆滿書架，卻不被人利用的資料。這種現象暴露出這些圖書館犯了共通的毛病，便是尚未確實建立一個平衡，而又能被充份運用的館藏。這種病象多少基於受到人爲的影響，有的館員們重理想，有的偏重對社區讀者的服務，圖書館應完成多種目的，而有的館員們卻祇偏重於某些單一的目的。因此，爲了避免這種病象的發生，歐美公共圖書館均有明文規定的資料選擇政策（*material selection policy*）及選擇標準（*selection standards*）詳細說明該圖書館預期達到的目的，館藏計劃提供的服務，館藏的維持，及圖書館選購資料的標準等。此選擇政策與標準，通常由圖書館主管人員及理事會擬定，一旦採納更應定期作必要的修正，以順應現實的需要。但「選擇政策」與「選擇標準」是相關而性質卻不同的兩種規定。選擇政策乃原則性說明館藏發展的方向，甚至於增加部份資料的類別、型態等，此說明愈具體詳盡愈理想（註廿二）。今舉例說明於後：

　　1.採購全部當地作家及插畫家的作品。

2.不採購任何宗教性、政治性出版社的出版品。

3.採購以某地方古今爲背景的圖書。

4.受讀者歡迎的圖書，以採購平裝複本爲原則。

5.按本政策列舉原則，採購非書資料如電影片等。

「選擇政策」爲館藏範圍及性質的明確指示，凡是政策中被列爲「不採購」或「全部採購」的資料項目者，便無庸再引用任何「選擇標準」。惟於後列情形，選擇政策雖有明確指示，然而尙須藉助於選擇標準來作進一步的取捨考慮：

1.有關詩部分的館藏，應包括「適當」比例的不同詩人之詩集，及單獨詩人的詩冊。

2.館藏的各學科應「儘量」包括不同觀點的著作。選擇政策條文中「適當」及「儘量」字義，便必須引用「選擇標準」來闡明，加上圖書館員的判斷力來考慮取捨。謹列舉「選擇標準」兩項於後以闡明之：

1.選擇資料應配合服務對象年齡的需要。

2.圖畫書必須富幻想性及設計精美，以達傳遞概念的目的（如有助於對顏色、數字及字母的瞭解等）。

有關「資料選擇政策」及「選擇標準」，讀者們可進一步參考王振鵠教授編著「圖書選擇法」附錄一：圖書選擇之原則（註廿三）；藍乾章教授著作「圖書館經營法」（註廿四），美國圖書館協會 *ALA* 擬定的：“*Guidelines*

for Formation of Collection Development Policies" 及
" *Checklist of Statements on Selection Principles* "
（註廿五）。

柒　圖書的選擇

今日，各先進國家的兒童出版事業已成爲一頗具影響
力且利潤豐厚的大企業。以「兒童的天堂」美國言，一九
七八年在版（ *in print* ）兒童圖書達四萬五千種之多（註
廿六）。兒圖館員如何從無數的讀物中選出合適且優良者，
誠屬極富挑戰性的艱鉅工作。他們除了本身應具有特殊的
兒童文學素養外，尚須持續不斷地博覽群書，吸取新觀念，
融會累積的工作經驗，方能勝任此工作。兒圖館員在選擇
讀物的過程中，更有借助於外界的必要；如利用選書工具
book selection aids （註廿七）（書評、標準目錄 *stan-
dard catalogs*、參考書、各種目錄等），徵求學科專家們
及小組委員會的意見、讀者的意見等等。評鑒兒童讀物除
了參照一般圖書選擇的大原則、程序外，更有其他應考慮
的特別因素，因爲兒圖館員選擇圖書的功能是雙元的，首
先要爲館藏選擇一有價值的圖書，其次是爲個別兒童選擇
一本他會喜愛閱讀的書（註廿八）。兒圖館員不一定能提
供兒童夢寐以求的「好書」來滿足他，但必須能指引兒童
尋獲他們自己不易或不會發現的「好書」。兒圖館員不但

必須像兒童般瞭解、熱愛及渴望兒童讀物，同時更應從成
人的角度鑑別兒童讀物的文學格調、情節的結構、人物的
造形等等。兒圖館員選擇讀物時應儘量避免主觀的介入，
（從本人工作經驗而言，在檢查圖畫故事書時，此點真可
說「知易行難」）。選擇科學或其他學科時，應參考學科
專家們（包括：圖書館工作同仁有特殊背景者、讀者、社
區內專家學者等）的意見，來評定資料的正確性，由兒圖
館員評定讀物的可用性、受歡迎可能性及文學品質等。

　　評鑒兒童讀物的標準（*criteria*），是因讀物歸屬的文學
類型（*types of literature*）不同而異，今就㈠小說、㈡圖畫
書、㈢非小說（知識性讀物及傳記），加以探討：

　　㈠小說（*Fiction* ）　此類型讀物佔全部館藏相當重
的份量，讀者的利用率亦較高，特就兒圖館員評鑒此類讀
物的標準，作較詳盡的說明：

　1.情節　情節曲折、生動、緊湊的故事能吸引讀
　　　者的注意，並激起他們一氣呵成唸完全書的興
　　　緻。向兒童推薦故事或小說時，他們總先問：「這
　　　故事『好』嗎？」由此可知情節是評鑒小說的第一
　　　關。情節必須合理、自然、有創意且新穎。一個有
　　　內容的故事，情節比較複雜，其中人物經歷無數，
　　　結局也多不易預測。兒童偏愛節拍快、高潮明顯且
　　　緊接著結局的故事。通常不喜歡數個故事同時進行

或倒述的故事。

2. 時與地　故事可能發生在過去、現在或未來；也可能發生在一定地方或一代表性的地方。時與地背景的描述必須求其眞實且能令人相信，故事的背景可以影響它傳達的氣氛、眞實感及說服力。

3. 主題　作者以主題表達寫作的目的，主題可以增加故事的層面，使讀者能獲得故事內容以外的意義。故事的主題很廣泛，可以是有關兒童成長的過程、家庭份子及朋友間的愛、對自我或他人的接受、對懼怕或偏見的克服等等。它們必須具有倫理、道德觀念，且以公正、人格完整爲重點。但作家不應過份強調小說的主題，以免將想像故事變質爲堆滿說教性、社會性、宣傳性的非小說。

4. 人物　角色的造形必須要「眞」與「活」。故事中的人物是否能令人相信，全依賴作家表現角色性格長處、短處的能力。因而，作家必須熟悉並深刻瞭解他故事中角色的各方面。故事人物的言談、動作須一貫，且適合他的身分——年齡、文化、教育背景等。有的故事人物是不變的，有的則在讀者眼中、腦海裏逐漸發展、成長。在中外兒童讀物中有不少寫得「眞實」與「活生生」的人物，他們會永遠活在每個讀者的腦海裏。

5. 筆法、格調　每位作家有其寫作的獨特風格，也是該作家的商標。讀者們常會因爲喜愛某作家的文筆，而成了他的「迷」。同時，作家的觀點也能影響他的風格，一般兒童讀者不喜過多靜態的描述或倒敍的方式，而喜歡對話及行動多的故事，也不喜情緒化或說教性過濃的故事。

6. 書形　書的大小、形狀、頁面的設計、插畫、印刷、紙質、裝訂等都屬於評鑒項目之一。如前所討論書的封面、插畫、字體等都可影響兒童的「閱讀興趣」。在圖畫故事中，插畫部分佔極重要的份量。一般小說、故事加插畫也能輔助文字的說明，故不宜粗製濫造。兒童讀物的裝訂必須要「牢」且「實用」，兒童圖書館內受歡迎的讀物被讀者們「愛」得深也「破損」得快。據估計，美國兒童圖書館爲兒童出版品最大的推銷對象（80％）（註廿九）。兒圖館員選擇圖書時，更須注意此點。

7. 其他　選擇圖書時除了評鑒各書的個別優點，應對其在圖書館館藏的地位作評定，因而必須將其與館藏中同主題、同對象的其他圖書作一比較，或與同作者的其他作品作一比較。

簡言之，優良兒童小說或故事，應具有生動、緊湊的情節，有意義的主題，眞實的背景，令人置信的人物，適

當的風格及吸引讀者的書形，但並非每本選擇的書都能滿足上述各項，哈克博士曾例舉一系列的問題以助讀者選書的參考，可參考該書十六至十七頁。

美國兒童出版事業自從十七、八世紀開始發展到今日，已奠定了深厚的企業基礎。二十世紀六十年代以後，反應社會的改變，產生了「寫實小說」。以往避諱不提的問題，如性教育、人種歧視、墮胎、吸毒等，也都成為兒童小說的主題，可以說是兒童文學發展的一大突破。由於近年來出版品劇增，促成圖書館選書標準的提高，出版商們為了競爭出版讀者需要的優良讀物，無形中提昇了出版事業的水準。美國兒童在圖書館中有無盡的寶藏任他發掘，圖書館員鼓勵讀者儘量利用館藏，並協助他們儘可能發現在家中或書店、學校圖書館裏無法尋獲的優良讀物。相形之下，國內兒童可以閱讀享受的優良故事、小說等讀物，實仍嫌貧乏、落伍。充斥市場的讀物，大部分是改寫的中國傳統故事，或西洋、東洋翻譯讀物。讀物內容大多偏重於童話、神話或說教式的故事，涉及有關兒童生活，與成長過程中在家庭、學校、社會上，做人處世所面臨問題的寫實故事比例偏低（註三十）。

㈡圖畫書（ *Picture Books* ）　選擇此類讀物應從最佳作品中選擇，不必過份重視出版日期。其評鑑標準如後：

1. 內容　評鑑該書故事情節、背景、人物、文字、主題、讀物適合年齡等。

2. 插畫　插畫與文字是否相輔相成，插畫能否有效地表達故事的動態、氣氛、人物；是否正確地、一貫地與文字配合；能否有助於文字的表達敍述等。

3. 插畫表達方式與技術　利用一種媒體——水彩、粉彩、臘筆、版畫、美術剪貼、水墨等，或多種媒體。顏色使用方法——顏色多寡、深淺、明暗等。插畫風格——細緻、生氣蓬勃、寫實或具有特別風格等。上述幾項是否配合故事內容，創造動態的、及成比例的畫面等。

4. 書形　書的大小（圖畫書大小種類特多），封面及襯頁設計能否表達故事的主題與精神。書名頁的設計，字體大小、紙及裝訂等皆須加以注意。

5. 其他　與同一插畫家其他作品的比較，與相似主題、故事的其他作品做比較，並考慮此作品對館藏的貢獻及本身價值等。

評鑑圖畫書不易避免主觀的介入，個人對某插畫家風格的偏愛在所難免，惟盡量把握前述各點，衡量時有一比較客觀的尺度。西洋兒童讀物的插畫實集世界各藝術派別之大全，背景不同的藝術家大膽嘗試各種新技術，製作無數美麗而新穎的圖畫書，使選擇者看一本愛一本，評鑑圖

畫書真是一愉快而又極富挑戰性的工作，而圖畫書的價格比小說、知識性讀物高出數倍。近年來各國注重學前教育，出版商們競相推出美麗、獨特的讀物，甚至有所謂「巨書」、「小書」、「立體書」、「可聞、可摸書」等出現。兒圖館員從事選擇工作時更應特別審慎。

㈢非小說類（知識性讀物與傳記） 每當論及兒童文學，一般總認為祇有虛構性讀物——小說或故事為兒童們喜愛，而忽略兒童文學中無數具有創意及重要性的知識性讀物及傳記。

一知識性讀物 近年來兒童知識性讀物不但在量上逐漸增加，且知識的分類也趨專門化，兒圖館員選擇館藏及協助讀者選擇讀物的工作更形繁重。評鑑知識性讀物之首項標準為正確性，次為內容、風格、組織及插畫、書形等。

1.正確性與真實性 知識性讀物應由學科專家或對該學科有研究的作家們撰寫。兒圖館員們必須瞭解一事實，學科專家們並非盡是兒童文學作家，而非專家撰寫的專門性（知識性）讀物必須經過核對資料後才能接受。除評鑑讀物事實的正確性和真實性、時宜性、完整性外，更應重視事實是否有典型化（如科學家皆為男士），或以偏蓋全等缺點；事實能否支持理論，與理論是否劃分清楚，避免利用擬人化敍述方式等。

2.內容　注意作家著作目的，內容是否適合寫作對象的年齡（指主題選擇、內容深淺及廣狹而言），作家提供資料的程序是否給予讀者訓練思考的機會，是否清晰說明所提供資料與其他學科間之關係等。

3.風格　作家說明的方式，敍述簡明生動，詞彙及文字的應用，能否引起讀者共鳴等。兒童能敏感地反應對該風格之接受與否。

4.組織　資料組織是否有條理，有一定方式（如地理資料按地域，歷史資料按年代等），章節是否分明，使讀者容易明瞭全書內容，具備書前「目次」及書後「索引」或其他參考資料，如書目、附註、專門名詞解釋表、附錄等。

5.插畫與書形　知識性讀物中插畫的主要功能爲輔助文字的說明，較抽象的討論也常賴插畫幫助讀者們瞭解。插畫對物體大小、多少等基本概念尤有說明之效。插畫可補充文字說明不清晰的細節，甚至提供重要資料成爲該書的主體。表達畫面的媒體（照相、繪圖、表格等各具特別功能）的選擇是否適當，插畫標題是否正確、簡明，插畫家是否有特殊技巧或觀點增加插畫之價值等。書形項目中凡能增加資料提供之效果及兒童閱讀興趣者，也能增加該書的價值。

　　二傳記　兒童對（眞實）人物故事和對其他事實性讀
　　物一般均感興趣。男女兒童在高年級以後對古今人
物發生特別興趣，且常產生仰慕與認同感。決定評鑑兒童傳記
標準前，必須先瞭解兒童閱讀傳記的目的，是在閱讀情節
緊湊，充滿事件與行動，有關人的趣味故事。評鑑時更應
注意：

　　1.人物的選擇　古今中外值得尊崇的人物及一些兒童
　　　們熟知且感興趣的人物，著重描敍人物的各方面，
　　　而非僅祇其成功的一面。作家們應尊重兒童們閱讀
　　　自由的權利，提供他們閱讀各種眞實、客觀的人物
　　　傳記的機會。

　　2.風格　兒童傳記因寫作風格不同大致分：傳記、小
　　　說傳記及傳記小說三種。傳記乃有文獻可據，對人
　　　物加以研究而撰寫的眞實報導。小說傳記雖也是基
　　　於該人物眞實事跡而撰寫，但作家將某部分戲劇化
　　　（如創造對話），以增加趣味性。傳記小說中的人
　　　物及情節則皆爲虛構，實屬於小說類。兒童多偏愛
　　　閱讀文筆流暢，情節緊湊的趣味性傳記。

　　3.眞實性　文字及插畫是否皆能眞實地表達該人物所
　　　存在的時代、地點及生活背景。

　　4.人物　將人物逼眞地介紹給讀者——他的長處、短
　　　處、所面臨的問題等，並應就他的一生或某一時期

從多方面作詳盡、客觀、眞實的報導。傳記並非表面化歌頌的文字，所描敍的人物應是有人情味、眞實感的。

5. 主題　作家對某人物的看法及解釋。故事不可過度簡化，或將資料塑造一定型的人物，而應客觀地選擇該人物一生中重要事件表達其「人」。因而一傳記的主題實因作者對該人物資料的選擇，或某些事跡的强調而定。

目前國內公共圖書館的選書程序，無論大小圖書館均採委員會或小組方式，由各分館及各部門主管共同參與工作，定期審查圖書，分工選擇。有的由採訪部事前備妥書目，或與出版商約定將可能訂購的新書備妥，供給與會人員直接審閱內容，合則留、不合則退。也有的圖書館將選書資料分交館內專業人員就所長分類選擇。或者有的由有關人員每人指定檢查一種目錄，最後經會議或主管在預算限度內作最後決定。小型圖書館人手簡單，多由圖書館負責人直接辦理選擇事宜（註卅一）。

捌　美國布魯克林公共圖書館選書實例

筆者在美國紐約布魯克林公共圖書館服務多年，對其選書程序相當熟悉，認爲該程序與國內各公共圖書館所採方式大致相同，惟更著重(1)專業化　(2)讀者需要至上　(3)

集中經營與管理。今將該圖書館選書程序簡述於後，以資參考：（參見後頁圖表3－1）

㈠該圖書館選書方式採審查委員會（*book evaluation committee*）制，圖書資料採購工作由技術服務之一部門——採購部(*Acquisition Department*)負責技術性的工作，資料的選擇則由各單位（部門及分館）和讀者直接接觸的專業圖書館員承擔。出版商自動將出版品贈送圖書館選購，並請圖書館員撰寫書評刊登於各專業期刊書評欄內（*Greenway Plan*）（註卅二）。圖書館選擇資料工作分三部份進行：

1. 視聽資料由視聽部（*Audio Visual Department*）召集視聽資料審查委員會（約十人左右），委員由各單位之成人服務及兒童服務館員代表擔任，並定期審查資料，採購部將通過審查資料編列目錄，分送全系統各單位以備選擇資料之用。惟價值昂貴之資料如電影片，則由審查委員會及視聽部直接決定取捨。

2. 成人讀物由成人服務部（*Adult's Services Department*）召集審查委員會（約十五人左右），邀請各單位之成人服務館員代表擔任委員，定期（每月）審查資料後，採購部門編列成人新書書單（*Adult New Book Order List*）分送各單位備用。

3. 兒童讀物由兒童服務部（*Children's Services*

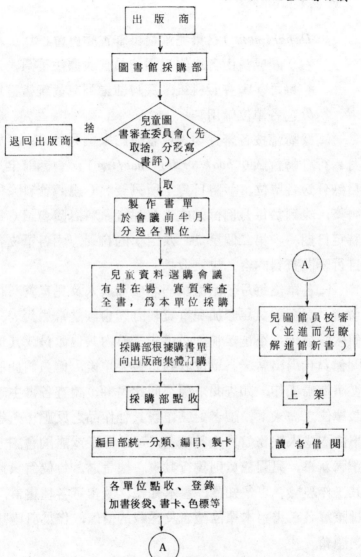

圖表 3-1　美國布魯克林公共圖書館選書程序

Department）召集兒童圖書審查委員會（十五人左右），成員由各單位兒圖館員代表擔任委員，定期（每月）審查資料後，採購部編列兒童新書書單，分送各單位備用。

㈡採購部按各審查委員會審查結果編列目錄，並於每月舉行訂購會議（ *book order meeting*)，會議前半月將目錄分送各單位，並將目錄上所列資料（視聽資料除外）齊集，陳列於每月例行的成人及兒童資料訂購會議（每月特定日期——第二個星期二及四）的會場，由各單位代表自行審閱資料內容，決定取捨。

㈢各單位每月各派館員一名參加成人及兒童資料訂購會議。兒圖館員為參加兒童資料訂購會議之當然代表，如值休假或因事不能參加，必事先請館內其他館員或其他兒圖館員代為出席。各單位收到新書書單後，館員們便積極從事準備工作，如查閱來源不同之書評，調查各書主題在該單位之需求率，讀者對某作家其他作品之反應……等。單位內成人服務館員人數較多，可採分工或討論會議方式選購新書，兒圖館員則獨行其事。總言之，每位館員運用其工作經驗、專業知識、書本知識、及參考各種書評，儘量瞭解各新書對本單位讀者及館藏的價值，作為訂購該書之憑藉。

㈣為便利館員從事新書之審閱工作，採購部將選購資

料按一定秩序（如作者姓氏之第一字母）排列，並於每書上附一「書評」（ *staff book review*)（參見圖表3—2於後）及購書單(*book order slip*)（參見圖表3—3於後），館員於審閱新書內容及參考書評後，於購書單上特定空間寫下該單位所購冊數：「０」、「１」、「２」……等。採購部依據購書單上資料爲全系統各單位集體採購，既省人力、時間，也省財力（通常可獲三分之一優待折扣）。

㈤採購部將出版商送來新書點收、付款、處理（如加書套等）後，將書移交編目部(*Cataloging Department*)，進行集體分類編目，製作目錄卡片等工作。

㈥各單位收到新書時，各書已完成技術服務部門的處理程序，內附全套目錄卡片及排架片，該單位非專業人員進行登錄、蓋館藏章、貼書後袋、製書卡、加色標……等工作。經兒圖館員校審(*revised*)後，新書便能上架供讀者利用。從館員參加圖書資料訂購會議，至新書上架，整個過程約費時一至二月。

兒童館藏的蒐集與發展是有計劃且有系統的，並應「質」與「量」兼顧。兒童館藏的結構必然因各館服務對象的不同而相迥異。有關小學圖書館藏書數量的標準及各類資料分配的比例，可參考王振鵠先生之「兒童圖書館」及七十年修訂之國民小學設備標準（ 註卅三 ）。建立館藏程序，應先以蒐集基本圖書爲重，其次再擴展到其他次要

書評：

（約100字論及內容、比較、特色、
用途、長處、短處、推薦或不推薦
理由等）

評書者簽名：　　　　單位代號：　　　　日期：

反面

索書號　□

書名　　　　作者　　　　　　推薦 □
　　　　　　　　　　　　　不推薦 □

出版商　　　　版次　　　　出版日期

插畫　　　　插畫家

書形

大小　　　　頁數

特色　　　　　　　　　紙

正面

圖表 3-2　書評格式（Book Review Slip）

布魯克林公共圖書館規定每位館員每月最少評審新書兩本，並寫書評二份（見上列格式）。
新書陳列於訂購會議時，書評便附於其上供衆人參考，兒童服務部門並指定部份新書有口頭書評，即評審人除寫
書評外更作口頭評審報告。
書評格式簡明，評審者除各項應將各項資料填入，並對該書作最簡短的評論（約一百字）。寫此類短書評是一種藝術，
也是一種考驗。

價　錢	作　者 _____				索　書　號
	書　名 _____				

出版者 _____　　日　期 _____　　版　次 _____

*1 　**2	2	3	4	5	6
7	8	9	10	11	12
13	14	15	16	17	18
19	20				

*1 單位代號

**2 訂購冊數

1. 每分館或單位有一代號

2. 此購書單爲多層複印紙者，各部門（採購、編目、分館……）
   皆可保留一份作記錄。

3. 購書單分成人、兒童兩種，格式相同，顏色不同，以便於處
   理。

圖表 3-3　購書單（Book Order Slip）

圖書。各種標準目錄如「中華民國基本圖書選目」、「全國兒童圖書目錄」、「中華民國兒童圖書總目」等，皆爲建立館藏之重要工具。公共圖書館兒童室之館藏不必過份拘泥於學校課程範圍，應著重提供兒童娛樂性、輔助性的讀物。每一兒童圖書館成立之初便應具備一基本館藏（*basic collection*）蒐集各類圖書（小說類包括幼兒讀物，非小說類包括參考工具書）中具代表性、重要性的圖書，然後再配合該圖書館的性質、讀者的需要繼續作重點的發展。美國紐約市布魯克林公共圖書館的各（分館）兒童室，每年皆有一定購書（包括少量視聽資料）的經費預算。通常約爲分館購書經費的百分之三十至百分之四十，視該館兒童服務之需要而定。而兒童購書經費之分配，則大約爲三分之一購買新書用，三分之二購買補充本，視聽資料經費僅佔購買新書經費百分之五至百分之十。每月定期舉行新書訂購會議，每年購買新書十二次。兒童部門與採購部合作，由兒圖館員組織補充本訂購審查委員會（或小組），對部份館藏加以再審查，並編列補充本訂購書單若干，使館藏各部分在預算年度內有機會將不足圖書予以補充，以免因讀者使用館藏產生漏洞或空缺（*gap*）。欲維持一均衡而有用的兒童館藏，除了不斷增加新資料，更應注重補充基本的，有用的各種圖書。由於新的圖書不斷加入館藏，破舊不堪利用的、不合時宜的資料，及有些無人利用、又無

永久價值的圖書便應及時淘汰（ weed ）、註銷 (discard)，以免形成空間及人力的浪費，並使館藏在「質」與「量」上保持一定水準。美國的圖書館對於圖書採購工作與淘汰工作同樣重視。

圖書館圖書選擇政策及標準的擬定，選擇圖書過程的安排，圖書館員對選擇工作的認識與執行，館藏的維持與淘汰等，均與館藏是否能維持質或量上的水準，能否為讀者充分的利用有密切關係。筆者無法在此作詳盡的說明或更進一步的探討，僅將關鍵性問題提出討論，目前國內一般兒童館藏無論在質或量方面距歐美水準尚遠，基於客觀條件的限制，當前的急務乃在爭取一定的購書經費及優秀兒童圖書館員。儘可能在良莠不齊的出版品中有計劃、定期選購適用者，建立一足以吸引讀者來充份利用的館藏。

附　　註

註　一：中國圖書館學會出版委員會編，圖書館學（台北：學生書局，民國六三年），p.206-215。

註　二：盧震京，小學圖書館（台北：商務印書館，民國六二年），p.52。

註　三：吳鼎，兒童文學研究，三版（台北：遠流出版社，民國六九

年 ）， p。79。

註 四：葛琳，兒童文學──創作與欣賞（台北：康橋出版事業公司，
民國六九年）， p.37-352。

註 五：藍乾章，圖書館經營法，第四版（台北：書藝書局，民國六
七年）， p.167-174。

註 六：林美和，小學圖書館的管理與利用（台北市：教育局，民國
七十年）， p.42-44。

註 七：王振鵠，兒童圖書館，第三版（台北：台灣省教育廳，民國
六七年）， p。86-96。

註 八：所謂平衡館藏（ Balanced Collection ），即館藏應根據當
地讀者的需要以保持適當的比例，而非一味求其各科數量相
等。

註 九：參見註五， p.149-151。

註 十：林武憲，「兒童讀物分類的小探討」，兒童圖書與教育雜誌
第一卷第一期（民國七十年七月）： p.12-13。

註十一：Allen Kent, *Encyclopedia of Library and Inform-
ation Science* v.4 (New York: Marcel Deker,
1970), p.561.

註十二：Charlotte S. Huck, *Children's Literature in the
Elementary School*, 3rd ed. (New York: Holt,
Rinehart and Winston, 1979), p.20-27.

註十三：Helen Huus, " Interpreting Research in Children's

Literature. *"Children, Books and Reading.*
(Newark, Del.: The International Reading Associa-
tion, 1964), p.125.

註十四 : Elizabeth Segel, " Choices for Girls, for Boys Keep-
ing Options Open." *School Library Journal*
(Mar., 1982), p.10.

註十五 : David Russell, *Children Learn to Read* (Bosten:
Ginn, 1961), p.394-395.

註十六 : Dan Cappa, " Sources of Appeal in Kindergarten
Books. *"Elementary English.* v.34 (April, 1957
), p.259.

註十七 : Jacob W. Getzels, " Psychological Aspects. *"Deve-
loping Permanent Interest in Reading.* Supple-
mentary Educational Monographes no.84 (Chicago,
Ill. : Univ. of Chicago Press, 1956): p.9.

註十八 : Dora V. Smith, " Current Issues Relating to Deve-
lopment of Reading Interests and Tastes. *"Recent
Trends in Reading* (Chicago, Ill. : Univ. of
Chicago Press, 1939), p.300.

註十九 : Charlotte S. Huck, *Children's Literature in
the Elementary School*, 4 th ed. (New York :
Holt, Rinehart and Winston, 1987), p. 64-72.

註二十：鄭雪玫，「兒童的閱讀習慣」，中央日報（讀書第一○八期），民國六九年六月四日。以及「孩子們的閱讀習慣」，國語日報（家庭版），民國六九年九月十六日。

註廿一：許義宗，兒童閱讀研究，三版（台北：市立女子師範專科學校，民國六七年）。

註廿二：Dorothy M. Broderick, *Library Work with Children* (New York : H.W. Wilson, 1977), p.4-5.

註廿三：王振鵠，圖書選擇法，三版（台北：學生書局，民國六九年），p.127-134。

註廿四：H.E. Haines, *Living with Books*, 2nd ed. (New York : Columbia University Press, 1950), p.41-42.

註廿五：Wallace John Bonk & Rose Mary Magrill, *Building Library Collections*, 5th ed. (Metuchen, N.J. : The Scarecrow Press, 1979), p.333-343. p.363-368.

註廿六：Huck, p.viii。

註廿七：高錦雪，兒童文學與兒童圖書館（台北：學藝，民國六九年），p.111-113。又見Huck, p.42-44.; Carlton Rochell rev. ed., *Wheeler and Goldhor's Practical Administration of Public Libraries* (New York : Harper and Row, 1981), p.221.

註廿八：Elizabeth H. Gross, *Public Library Service to Children* (Dobbs Ferry : Oceana, 1967), p.56.

註廿九：Rochell, p.222.

註 卅：余淑姬, 三十年來我國兒童讀物出版量的分析（台北：啓元文化事業股份有限公司, 民國七十年）。

註卅一：王振鵠, 圖書選擇法, p.60。

註卅二：Bonk & Magrill, p.16.

註卅三：教育部, 國民小學設備標準（台北：正中書局, 民國七十年）, 可見附錄。

第四章　兒童室

　　兒童室（部門）爲圖書館中，特別爲兒童讀者設計的
場所。由於兒童圖書館資料及服務之日益增加與擴充，
現代化圖書館的兒童室，已不僅是兒童的閱覽室，更成爲
兒童利用非書資料及參加其他各種兒童圖書館活動的場
所，本文探討之兒童室是以公共圖書館的兒童室爲主。美
國「公共圖書館兒童服務標準」建議，兒童服務場所的設
備應注意「效率」及「經濟」二大原則（註一）。兒童室
應以吸引各年齡兒童入館閱覽、閱讀及欣賞並利用各種資
料爲要務。設計一間理想的兒童室時，除了要考慮如何配
合業務需要，便利讀者使用等因素外，更不能忽略提供一
個足以吸引讀者的特別氣氛。

　　規劃兒童部門之初，建築師應與行政主管（圖書館館長或主任）及兒圖館員間有充分的溝通。

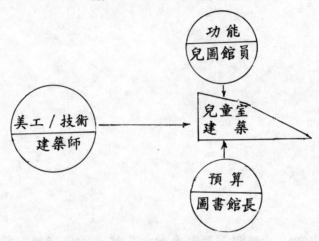

圖表 4-1　規劃兒童室之參與者

有些外表美觀、設計新穎之兒童室一旦開放後，便發生了建築設計與實務操作無法配合的問題（註二）。可能是因策劃之初，忽視徵求對兒童室利用者——兒童，最瞭解之兒圖館員專業性的寶貴意見。因而兒圖館員不但應被動地提供意見，更應主動爭取參與其事的機會。

　　規劃兒童室的地點、空間、設備時，應考慮安全、維護、經濟、實用、美觀、舒適及易於調整等方面，並認識兒童本性上為好動、好說、好奇的。今就兒童室之氣氛、地點、空間分配及設計、佈置、傢俱設備……各項探討於後：

壹　氣氛

兒童室應是一充溢著友善、親切氣氛，兒童們樂於光臨的地方。創造或形成這種特殊氣氛首先有賴於工作人員（尤其是兒童圖書館員）與讀者間建立良好的關係。一位熱愛工作的專業兒圖館員可以將建築破舊及陳設簡陋的兒童室轉變爲一生趣盎然、兒童樂意去的地方；同樣地，一位不瞭解兒童服務的工作人員，也可以將規劃者辛勞創造的成果完全破壞。當然，建築美觀及設備良好的兒童室能增加讀者利用圖書館的樂趣；而建築及設備簡陋的館舍却能使讀者望而止步的。總言之，理想的兒童室在兒童的心目中，應較他們日常生活接觸的「家」及「學校」特殊，日漸成爲他們生活裏不可或缺的一個特別場所。兒童室並非爲了裝潢而陳設，而是爲了便於兒童利用資料而存在。因此，兒童室內的陳設不需過度華麗或藝術化，避免令兒童們感到格格不入，有坐立不安的感覺。兒童圖書館從選擇適當的地點、空間的分配到顏色及傢俱的選擇等，都能幫助該館形成特殊氣氛。

貳　地點選擇

決定兒童圖書館的所在時，應注意該地點是否：

㈠兒童便利到訪。

㈡避免在交通頻繁的通道附近，讓兒童能安全往返。

㈢在學校或國民住宅區附近。

㈣有足夠空間作將來圖書館擴展之用。

當考慮兒童部門的規模大小，建立一獨立的兒童圖書館或成立一附屬於圖書館的兒童室等問題時，應注意下列四項：

㈠該地區公共交通設施是否完備。

㈡該地區一般居民的知識程度。

㈢該地區兒童人口的密度。

㈣在同一地區是否已有其他兒童圖書館。

參　空間分配及設計

圖書館外型設計美觀悅人，自然能吸引讀者進館。而外觀過於嚴肅或正式的建築，則可能使讀者（尤其是兒童）視爲門禁森嚴的「機關」或「衙門」而乏人問津，除非，他們從館外便能透視館內簡單、舒服的陳設，及來往不絕的讀者。圖書館內部的設計，通常按各部門所需之安靜程度來安排（參見圖表4-2）（註三）。兒童室嘈雜音多，應儘量與參考室、會議室或辦公室等肅靜地帶隔離。一般中小型圖書館常將兒童室與成人室置於同一層（參見附錄二、三），俾便成人及兒童讀者自由利用雙方的館藏。有的兒童室且開置旁門，直通大街，避免學校大夥班級學生來

訪，通經館內廊道的不便。有將兒童室設於地下室或主層
之上，兒童體力充沛較能適應上下樓梯，惟應注意安全問
題，如梯級的安全與牢固，有否扶手等，且應置電梯以備
不時之需。兒童室既為圖書館的一部分，原則上，兒童與
成人讀者應可利用同一大門出入，而且兒童室不與圖書館
其他部門隔離，在管理上也易收整體管理之效益。兒童室

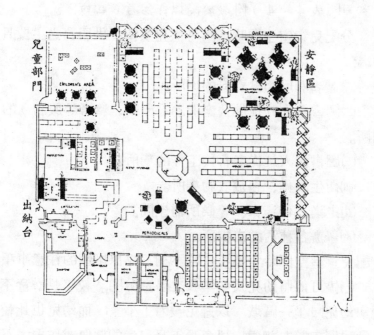

圖表 4-2　鹽湖城公共圖書館空間分配圖

若設置於地下室，無論就光線、通風、乾燥度及天花板的高度而言，均將不夠標準，對兒童讀者及圖書館兒童服務的品質多少都會有所影響。今將理察霍爾氏（ *Richard B. Hall* ）於一九七七年研究美國伊林諾州春田鎮林肯公共圖書館（ *Lincoln Library, The Public Library of Springfield , Illinois* ）空間利用情形時，所製成之部門間交通圖（參見圖表４－３）及林肯圖書館各層平面圖（參見圖表４－４）附載於後以作參考（ 註四 ）。

　　分配兒童室空間時，應考慮兒童室提供服務之主要目的爲:

　　㈠讀者利用圖書資料的場所。

　　㈡圖書館人員提供公衆服務（出納、參考等服務）的場所。

　　㈢圖書館人員從事幕後工作的場所。

　　㈣衛生設備、存放衣物場所。

　　㈤走道、借還書、等候所需空間。

　　㈥擧辦各種活動之場所。

分配兒童室空間時，不可忽略下列五點原則性的注意事項:

　　㈠儘可能將幼兒及較年長之學童分開，較年長學童不願與幼兒同坐一區域，以避免被看「小」；而幼兒也比較喜歡和同年齡者相處，以免受年長兒童的欺侮或作弄。不同年齡兒童活動的緩急程度亦頗不一致。

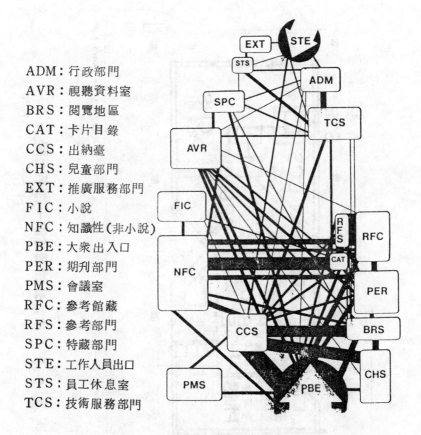

ADM：行政部門
AVR：視聽資料室
BRS：閱覽地區
CAT：卡片目錄
CCS：出納臺
CHS：兒童部門
EXT：推廣服務部門
FIC：小說
NFC：知識性(非小說)
PBE：大眾出入口
PER：期刊部門
PMS：會議室
RFC：參考館藏
RFS：參考部門
SPC：特藏部門
STE：工作人員出口
STS：員工休息室
TCS：技術服務部門

圖表 4-3　林肯公共圖書館各部門交通密度圖
（以黑線粗細示之）

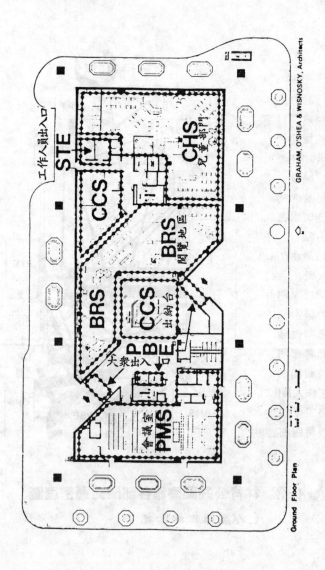

圖表 1-4　林肯公共圖書館一樓平面圖

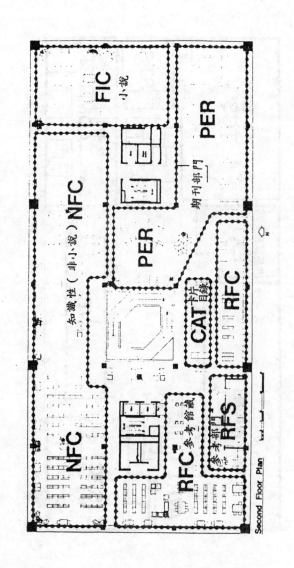

圖表 *4-4*　林肯公共圖書館二樓平面圖

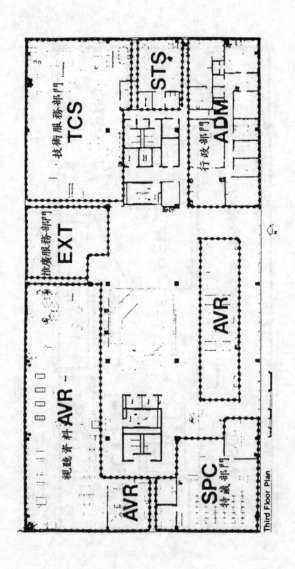

圖表 1-4　林肯公共圖書館三樓平面圖

㈡將幼兒讀物（指圖畫書等）與較年長兒童的讀物分別排列。

㈢將借書、閱覽、研究地區分開。

㈣兒童室的服務台或詢問台（ *service desk or information desk* ）應設置於適中地點，**使**兒圖館員能顧及全室，且方便與讀者接觸。

㈤兒童室如有出納台，應置於近出口處，且高度不應超過三呎，也不應太大，以免妨礙進出交通。

總言之，一般大統間式兒童室，常以矮書架或傢俱間隔爲不同區域，將安靜及嘈雜地區分割開來，並集中嘈雜地區於交通主道附近。幼兒閱覽區、自由閱覽區、報紙雜誌及輕鬆讀物閱覽區，宜設置於交通主道近處。而參考（資料）區、自習區、說故事及舉行活動等地區，可設置於四角落較安靜處。兒圖館員之詢問台應設於兒童室適中地點，使館員能方便進出，且易掌握全室一般情況，便於督導。參考資料、目錄櫃及幼兒閱覽區應接近詢問台，使詢問台及參考資料、目錄櫃一帶成爲該室的中樞地帶。兒童室必須設置由專業人員負責的詢問台，因兒童讀者極需要曾受專業訓練的館員，隨時給予各種協助及輔導。借書、還書及註冊等工作，可以由助理員在進出口處的出納台負責。麥可溫 *McColvin* 氏曾建議，如兒童部門僅係一大統間，幼兒區宜設於進口處服務台附近，年長兒童借書區域，則

可設於其對面或兒童室之內部。閱讀及自習區則宜設置於
兒童室的最裏面，幼兒區的分配應約爲年長兒童區空間的
一半（註五）。在此情形，兒童室內書架應沿牆放置，中
間地區避免放置重的傢俱，以免將已是有限的空間分隔，
妨碍到館員的督導工作及來往走動，必要時可將桌椅稍作
移動或調整，便可利用借書區及閱讀區舉行活動。如果兒
童圖書館較具規模，並有足夠空間時，其空間分配情形，
仍與上述大致相同，惟應儘可能設置幼兒室、兒童閱覽室、
自習及參考室、活動室等。而詢問台則應置於各室或兒童
圖書館的適中地帶，使兒圖館員們便於服務及管理各室。
兒童部門除主間外，應有接連小間供辦公室、工作室、會
議室、書庫、儲藏室……之用。活動室爲說故事及舉辦活
動的場所，應儘先設置，如此則：

　　㈠可以不因舉行活動而妨碍兒童室正常工作的進行。

　　㈡可以佈置一特別的活動室，增加說故事與舉行活動
的氣氛與效益。

本人曾服務於一單間兒童部門，該室爲一狹長形空間，由
於配置妥當，利用起來也頗方便，茲繪圖於後，以作參考
（參見圖表4－5）。

　　兒童室的佈置能影響該室的氣氛。更有學者們認爲兒
童圖書館的環境，對日後兒童性格的形成有不可否認的影
響力（註六）。它能積極地培養兒童對事物的鑑賞力；發

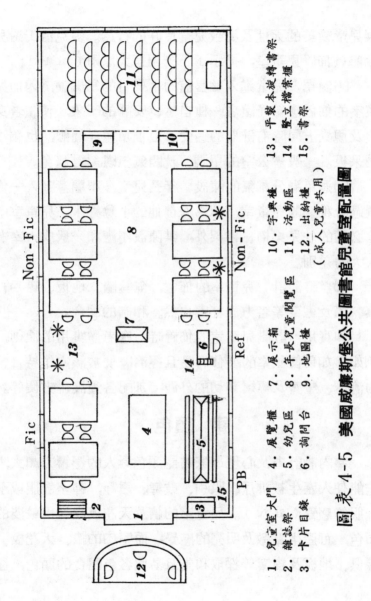

1. 兒童室大門　　4. 展覽櫃　　7. 展示箱　　10. 字典櫃　　13. 平裝本旋轉書架
2. 雜誌架　　　　5. 幼兒區　　8. 年長兒童閱覽區　11. 活動區　14. 豎立檔案櫃
3. 卡片目錄　　　6. 詢問台　　9. 地圖櫃　　12. 出納櫃　15. 書架
（成人兒童共用）

圖表 4-5 美國威廉斯堡公共圖書館兒童室配置圖

展兒童愛美的天性及導致兒童良好的行為。麥克溫氏對兒圖館員佈置兒童室，提示了下列四個大原則（註七）：

㈠簡單　兒童進入圖書館的主要目的為閱讀，因而兒童室的佈置應給予讀者一種自然、安靜的印象，使讀者身體及視覺上同時有舒服的感受。但簡單並非簡陋，也絕不是呆板。一般辦公室的單調、沈悶氣氛應絕對避免。

㈡避免過分稚氣的陳設　年長兒童多不願意進入一佈置過分稚氣的兒童室，認為有傷他的「尊嚴」。兒童室中除必備的幼兒桌椅、書架外，其陳設不應和一般成人室有太大的差別。

㈢整體設計　兒童室的佈置，無論牆、地板、窗戶、桌、椅及書架等各方面都應自然、和諧的配合。

㈣實用　計劃兒童室的佈置時，應考慮實用的原則，例如，如何使該室的裝修容易且經濟；便於該室維持日常的清潔、整齊及輕鬆親切的外觀；加配各種設備方便等。

肆　顏色

室內設計者及心理學家咸認顏色對人的影響力頗大，它能使人產生被排斥、吸引、鼓舞、鎮靜，甚至舒服或不舒服等感覺（註八）。兒童室的牆及天花板宜採用較淺的顏色，可產生寬敞及明亮的感覺；而室內的牆、天花板、傢俱、地板及窗簾等採取和諧且易與各色配合的顏色，往

往能產生比較輕鬆、舒暢的氣氛。較小或特殊意義的陳設可採用比較強烈、鮮明的顏色，能刺激兒童官感，是一種有利於兒童智能發展的調配（註九）；米勒氏（*Miller*）則認為在單調、嚴肅的研究地帶或辦公室採用鮮明的顏色，能增加同仁的工作效率及士氣（註十）。顯然，顏色選擇是否適當，關係兒童室設計之效果甚鉅。

兒童室牆的顏色以灰白色、米色或淡黃色為最相宜。如用兩種顏色，室中上半部顏色應較下半部的顏色為淺，以免產生頭重足輕的感覺。適當地採用各種顏色，也能產生使空間「增大」或「減小」及其他效果，爰舉例於後以釋明之：

㈠淺色，如各種粉彩顏色及淺黃色，可使房間給予人的感覺上有陽光充足、空氣流通、空間擴大及天花板增高的效果。

㈡深色，如深藍色、棕色、黑色，可使房間給予人的感覺上有空間縮小、天花板變低及牆縮短等效果。

㈢暖色，如紅、橙、鮮黃色，可使房間給予人的感覺上有顯得比較溫暖的效果，尤宜採用於朝北、東北及東面的房間。

㈣涼色，如水綠、水藍、使房間給予人感覺上有較清涼的效果，宜採用於西曬及朝西南的房間。

地板如採不過於深暗的顏色，則可不妨礙光線的反射。如

用地氈，則以有圖案或較深的純色爲佳，較易保養及維護。天花板宜採白色或其他有助反光的顏色。桌、椅可採深淺明暗不同，而互相配合的顏色，但桌面顏色不宜過分刺眼，以免閱讀時眼睛感到不舒服。兒童室及其他圖書館喜採淺色的桌面，旣有助於閱讀光線的增加，也看來大方整潔。

伍　傢俱及其他設備

圖書館傢俱與其他設備的設計常受到經費及空間的限制，而建築師是最能深澈瞭解空間與傢俱、設備間關係的人。圖書館的傢俱、設備除了對該館是否能發揮其業務功能有影響之外，又與該建築設計的光線、通風有密切關係。建築師固然應提供傢俱及設備的初步建議，而圖書館建築顧問（ *Library Building Consultant* ）、圖書館行政人員及兒圖館員也能依據經驗，提供有價值的意見。麥考夫氏（ *K. D. Metcalf* ）就圖書館有關傢俱、設備方面提出下列注意事項：

㈠圖書館內傢俱及各種設備不應給予讀者「擁塞不通」的印象。

㈡讀者利用圖書館時（無論閱讀、查卡片、詢問……）不應受到干擾，也不可妨碍其他讀者。

㈢讀者應有舒服的座位設備。

㈣估計傢俱及設備所需空間，應包括其本身所佔空間

及因讀者利用該傢俱或設備所需之空間（註十一）。

今謹就兒童室的主要傢俱項目及設備有關問題探討如後:

㈠桌椅　兒童室的傢俱設計與該室的空間利用及圖書館的整體功能有密切的關係。傢俱雖無庸請專人特別設計，但必須與圖書館的建築配合。利用圖書館用具廠商（如漢美、慶和、中國、大濤等）目錄提供資料，可選購標準化的傢俱，旣經濟也省事。兒童室內桌椅不必式樣一律，高度則以配合大多數年齡兒童的高度爲要。英國標準局(The British Standards Institution) 曾對英國兒童的年齡及相當高度所需桌椅的高度作研究，謹列表如下，以供參考（註十二）: 圖表 4 - 6 , 4 - 7

碼	身　　高	桌　高	椅　高
A	44″ – 47″	19.5″	11″
B	48″ – 52″	21.5″	12.5″
C	54‴ – 56″	23.5″	14″
D	58″ – 62″	25.5″	15.5″
E	64″	27.5″	17.5″

圖表 4-6　英國兒童高度與適當教室桌椅高度

年　　級	學生平均高度	照高度所需桌椅比例	
低年級生 （ 5 - 7 歲 ）	46" 44"-48"	A B	75% 25%
中高年級生 （ 7 - 11 歲 ）	52" 50"-56"	B C	55% 45%
高年級至國中生 （ 11 - 15 歲 ）	60" 56"-64"	C D	30% 70%
高年級至 國中男生	60" 56"-64"	D E	75% 25%
高年級至 國中女生	60" 56"-62"	C D	30% 70%

＊一般中國兒童比英國兒童矮三至四吋

圖表 4-7　　英國學生教室桌椅高度標準＊

　　另外在幼兒地區應設置小桌椅及圖畫書架，桌子高度
不應超過二十吋，椅子十二吋（至椅座），圓及矩形桌子
相當受歡迎，如桌面（材料以 *formica* 及 *linoleum* 為理想）
由各種形狀、顏色拼成者則更好，可以合一或分別安排使
用，增加兒童室內環境的變化。椅子應設計簡單、舒服，
並與桌子的高度相配合。彩色塑膠椅耐用、輕便、悅目，頗
為兒童所喜愛；亦有兒童室購買布料包面之柔軟椅或各形

式之包布海棉椅，兒童可將之作椅或玩物兩用。舊式教室
木桌椅（可坐四人至六人者）仍爲兒童所喜愛且較實用，
亦有用長條木櫈代椅者，搬動方便且節省空間。低中年級兒
童所用桌子高度不宜超過二十五吋，椅子高度不宜超過十
五吋。非傳統式之圖書館傢俱如豆袋椅（ *bean bag chair*）
軟椅、沙發之類也頗合用舒服，兒童們可以悠閒自在地
或坐或臥地看書，但應注意包椅表面質料須具有耐用、耐
髒、易清潔等特性。高年級兒童常利用圖書館做作業、閱
讀等，比較適於利用傳統之傢俱，自習桌椅高度各約爲二
十八吋及十八吋，矩形桌子似優於圓形者，且必要時可配
放較多椅子。兒童室如爲了節省空間，可購置能重疊、摺
合或調節高度的椅子。研究小桌爲高年級兒童從事研究時，
所喜使用者。閱覽輕鬆讀物及報紙、雜誌地區、成人與兒
童共同閱覽地區、讀者休息地區均可酌情設置比較舒服、
美觀、較低或柔軟的椅子與沙發，並配置低枱或茶几等。
沿牆處、窗下及室內不可避免的支柱周圍可放置小櫈、長
椅、長靠背椅、沙發之類。無靠背長條板櫈，配以雙邊斜
面長條矮桌，頗適合幼兒閱覽圖畫書之用。如室內放置不
同形（圓、方、長方、橢圓）的桌子，則應斟酌其置放地
點，以免產生室內行動不便或擁塞之現象。近年來美國兒
童圖書館之傢俱設計有許多革新，且突破傳統的設計，層
出不窮（ 註十三 ）。但原則上，仍以便於調整、輕便、舒

適、悅目、耐用、簡單爲重點。

　　㈡書架　兒童室的圖書排列應爲開架式。書架盡可能安排於沿牆的四週，書架的空間不但應配合目前的藏書量，且應具備預計將來藏書量增加所需的空間。圖書排架以佔用書架空間四分之三爲宜，以免產生過分擁擠、取用不便的情形。兒童室必備部分特別書架以容納大小厚薄不一的圖畫書及幼兒讀物。大部分幼兒讀物因頁數過少，無法將書名印於書脊，可將此類圖書平放於傾斜角度不同而重疊的矮書架上，但此書架須有約半吋突出的邊緣，以避免書本下滑。此種設計雖佔據較多空間，但却能展示顏色鮮艷美觀的圖畫書，增加兒童室的光彩，更使兒童便於取閱各種圖畫書。目前台灣省出版的一般幼兒讀物，如中華兒童叢書等，多爲不易豎立的平裝及極薄的圖書，圖書館員常面臨嚴重的排架及展示問題，前述方法值得考慮採用。如將幼兒讀物排架於普通書架，左右間的寬度不應超過十二吋，否則書本有傾倒或滑下之可能，不僅有碍排架的整齊，容易損壞圖書，而利用起來也較不方便。另外，利用書夾加以支撐，祇是一勉強的補救方法。

　　安排圖書應按照一定順序：如分類號、班級、主題等，且所用標示應清楚，以便於讀者自行尋查。圖畫書、特大或特小書籍、參考書、期刊雜誌、小册子及其他類型資料可以分別安排。一般書架以能調整間隔、長短及高低者爲

宜，高度、寬度及深度應盡量採同樣尺度，以求劃一美觀；
書架的底層離地至少十一吋，以避免堆積灰塵及清潔時可
能損及底層的圖書。每層書架上下之隔約十吋；書架以不
超過一般兒童伸手取書之高度為宜；底架如有傾斜度則可
離地較近。過高的書架頂層可加裝軟木塞板作告示板、展
示板之用；也可改裝為簡單小櫥作儲藏之用。書架頂層如
不過高（底板至地約四呎）可作展示架之用，將頂層背板
作 55°—60°傾斜，前面安置突出邊緣，圖書便能平置其上。
書架寬度以不超過三十六吋為原則。置放於室中作分隔地
區或裝飾用的小書架，高度應稍低，以免妨礙兒圖館員及
其他輔導人員的視線。書架底部裝置滾輪，雖便於搬動及
組合，但應注意可能產生的安全問題。

　　木書架與金屬書架各有利弊，國內新成立圖書館多採
用角鋼架。木書架予人一種親切的感覺，也給兒童室帶來
莊嚴、調和的氣氛，但易導致蟲蛀的問題。鋼書架則價錢
經濟，且易調整，可以選擇顏色（包括書架本身及兩端的
鋼板）。目前已有圖書館利用不同顏色的書架，放置各大
類的圖書（如文學、小說、史地、成人讀物、青少年讀物、
兒童讀物等）以資區別。

　　開架式兒童室的書架絕對不應加裝玻璃門或鐵欄，因
圖書是為便利兒童閱讀而設置的。兒童如不愛惜公物，兒
圖館員應勸導他尊重圖書館的所有權，並解釋圖書館的意

義與功能。如有嚴重破損公物情形發生，圖書館應加強其
管理及處罰，如罰款、賠書或短期取銷其使用權等處分。
沿牆裝置的書架可節省安裝書架背面；而雙面書架空氣流
通，有助圖書的保存。計劃兒童室之初，應盡量利用牆上
的空間安置書架，窗戶離書架頂層至少保持一呎的距離。
用以欣賞室外景色的低窗戶下不應再擺設書架，可放置小
櫈、長條椅之類。

㊂其他傢俱　兒童室應備期刊架，以免期刊雜誌散置
於書架、桌、椅各處，有碍整潔及佔據閱讀空間。兒童期
刊不具永久保存的價值者，應盡量流通，不必特備護套，
置於期刊架上展示即可。卡片目錄櫃為兒童室重要傢俱之
一，金屬或木製者皆可，高度以不超過四十二吋為宜。此
為相當標準精密的傢俱，以向專門廠商訂購較理想。櫃中
抽屜必須開關方便，且其大小完全配合卡片的大小。抽屜
內串連卡片之桿應不易脫出，以免卡片失散。兒童室內如
有出納枱為讀者借、還書、登記……之處，該枱可以是一
小桌、或櫃枱，端視兒童室的規模及需要而定。惟出納枱
必須放置於出入口處，枱面至地不宜高於二呎四吋，以便
利兒童使用。圖書館員的詢問桌椅為一般成人尺度之辦公
桌椅，通常放置於兒童室的心臟地帶，不必過大，以免妨
碍交通。輕便、美觀的小型展示單元可放置於各處，以吸
引兒童對展示讀物的注意。公告欄以裝置於近出入口處牆

上爲宜，軟木塞板、木板……等製成皆可。它可用以展示新書書套、通告、海報之類，必須保持其整齊、美觀及合時性，並應有效地利用空間。玻璃展覽櫃（桌面形或豎立者）可置於出入口附近之顯眼處，兒童們皆樂於展覽其收藏，如：洋娃娃、郵票、錢幣、標本、模型、手工藝品…；更可利用它展覽新進館或特別主題的圖書資料，以刺激讀者的閱讀興趣，有助於館藏的流通。兒圖館員雖非藝術家，但透過佈置兒童室，裝飾公告欄，設計展覽、展示等工作，也確可爲兒童室獨創一風格。

　　㈣地蓋物　地蓋物質料及顏色的選擇，正如兒童室其他傢俱、設備一般，也應配合兒童室及整個圖書館的設計。地蓋物的選擇同時也受圖書館所在地氣候的影響。近年來西方國家的學校及圖書館（室）多趨於採用地氈。據調查報導：地氈既耐用且不比其他地蓋物價錢昂貴，是最能吸收噪音及較易維持清潔的一種材料（註十四）。兒童室通常比其他類型圖書館吵鬧，以何種方法有效地減低室中噪音，爲一極重要的問題。我們通常可同時採取各種措施：如注意傢俱的安排，在牆及天花板覆蓋吸收噪音的物質及加蓋地氈等。地氈能吸收高達十倍於其他地蓋物所能吸收的噪音。不舖地氈之兒童室可能比舖地氈之兒童室噪音程度高出百分之五十之多（註十五）。此外，地氈能減少圖書館工作者及讀者們行走之疲勞，兒童們也喜歡坐、臥

其上，而配色適當的地氈更可增加該室之美感與安全感。維護及清潔地氈的經常費並非特別昂貴，按時吸塵，寒暑假或淡季時給予一次洗刷的大清潔即可。市面上地氈之品質及價格高低不一，各兒童室可視經費多寡及需要比較選購。

㈤燈光、溫度及通風設備　圖書館照明度的設計關係讀者視力健康極大。圖書館設計燈光時所考慮的因素很多。設計較大及較高的開窗空間，採用透明質料如玻璃的室內隔間牆，都有助於充分利用自然光線。兒童室的一面為落地大窗，日間可提供大量自然的照明度，且給予該室寬敞、舒服的感覺。晚間拉上窗簾，更增加該室的親切、安適感。由於陽光陰影的考慮，應避免採用「天窗」方式的照明設計。兒童室之閱讀桌、枱上不宜裝置枱燈，因兒童室的桌椅常需搬動調整，以免增加破損或發生意外的可能。如欲利用自然光線以節省能源，應注意安放傢俱及選擇顏色，以免其產生過分眩目或沈黯之效果。利用燈光照明時，除選購經濟者，更應避免光質眩目、產生陰影或光線不勻者。採用日光燈雖省電，但可能影響天花板吸收噪音之功能。維持燈泡及燈罩之清潔能增加照明度達百分之五十，故應按時更換及清潔；天花板及牆等也應定時加以粉刷，除增加該室之整潔、美觀，更增加其反光度（註十六）。兒童室即使裝置空氣或溫度調節器，窗戶最好仍能自由開關，

必要時使室內空氣暢通，有助於室內噪音及混亂情形的緩和。讀者無法在空氣沈悶或過熱、過冷之圖書館中盡情享受讀書之樂，何況空氣不流通更能引起兒童心情之煩躁。台灣地區天氣溫暖、潮濕，室內如不能有冷暖氣的設備，電風扇及除濕機都是值得考慮的設備。

㈥裝飾物　佈置兒童室時，可以斟酌兒童的興趣與喜好適度地陳設各種裝飾物，如擺設飛機、船的模型、玩具、藝術品等；書架過高的頂層，可裝置木塞板，用作展示公告、畫片、海報及新書套等；四週的牆過於單調時，可掛畫、海報及圖表等。惟應注意牆的維護；四週擺設樹、花、盆景、寵物、水族箱種種，皆能為兒童室增加不少生氣與情趣，但應考慮購買及維護所需的金錢、人力及時間。

兒童室（部門）設計是否成功，從地點之選擇、空間之分配與設計……，至各種裝飾物之陳列，全賴圖書館館長（行政人員）、建築師（技術人員）、兒圖館員（提供兒童服務之專門人員）之通力合作。

附　註

註　一：Elizabeth H. Gross, *Public Library Service to Children* (Dobbs Ferry : Oceana publications, 1967), p.28.

註 二：Illinois State Library , *Illinois Libra-ries* v. 60, no. 10 (Springfield : Illinois State Library , 1978) : p.849.

註 三：" Quiet vs. noisy patrons : erecting noise barriers . " *Library Journal* (Jan. 15, 1979), p. 145-146.

註 四：Richard B. Hall, " The Library Space Utilization Methodology . " *Library Journal* (December. 1, 1978) : p.2379-83.

註 五：Lionel R. McColvin , " Buildings and Equipment. . " *Public Library Services for Children* (UNESCO , 1957), p. 44.

註 六：Elizabeth Gross H. , " The Children's Room." *Public Library Service to Children* (Dobbs Ferry : Oceana Publications, 1967), p. 28.

註 七：McColvin , p.45-46.

註 八：Katherine Habley , " The Many Uses of Color in Library Rooms Serving Children." *Illinois Libraries.* v. 60, no. 10 (December, 1978) : p. 891-895.

註 九：R. Martin Helick and Margaret T. Watkins,
　　　　Elements of Preschool playyards (Swiss-
　　　　vale, Pa : Regent Graphic Services, 1973),
　　　　p. 52-53.

註 十：Walter T. Dziura, "Media Center Asthetics"
　　　　School Media Quarterly (Spring, 1974),
　　　　p.291.

註十一：Keyes D. Metcalf, "Furniture and Equipment:
　　　　Sizes, Spacing, and Arrangement." *Planning
　　　　Academic and Research Library Buildings*
　　　　(New York : McGraw-Hill, 1965), p.488.

註十二：Leonard Montague Harrod, *Library Work with
　　　　Children, with Special Reference to Deve-
　　　　loping Countries* (London : Deutsch, 1969),
　　　　p.187-188.

註十三：Julie Cummins, "Table Legs and Chair Arms :
　　　　the anatomy of Children's Furniture in
　　　　Libraries." *Illinois Libraries* .vol.60, no.
　　　　10 (December, 1978) : p.887.

註十四：Aaron and Elaine Cohen, "Remodeling the Lib-
　　　　rary." *School Library Journal* (Feb, 1978),
　　　　p.31.

註十五：*Ibid*.

註十六：Cohen, p. 32.

第五章　兒童圖書館的公眾服務

壹　閱讀指導
貳　讀者顧問服務
叁　參考服務
肆　圖書館內的活動
伍　圖書館外的活動
陸　推廣服務

　　兒童圖書館之公眾服務（ *public services* ）亦可稱
為兒童圖書館之讀者服務（ *reader's services* ），乃兒
童圖書館員與讀者接觸，直接提供之一切服務，譬如閱讀
指導、讀者顧問、參考諮詢服務、舉辦各種活動及推廣服
務等。兒童室之公眾服務乃一般讀者所常見到、所親身領
受到的服務，其他如編列預算、選擇資料、分類編目等幕
後作業（ *behind the scene work* ），圖書館界用語統稱
之謂技術服務（ *technical services or supporting
services* ）。廣義的兒童服務（ *children's services*）
包括技術服務與公眾服務兩方面，其共同及最終目的即為
提供讀者所需要的最佳服務。一般有規模之圖書館系統，

其技術服務（包括成人及兒童方面的）通常皆由技術服務部門專司其職，統籌辦理（註一），本章僅就公衆服務部分的閱讀指導、讀者顧問、參考服務、活動及各種推廣服務等加以研究。

壹　閱讀指導（Individual Guidance）

「閱讀指導」在兒童服務之範疇內是極廣義且最具有彈性的，兒童服務的任何工作皆與閱讀指導有關，而「將兒童與圖書快樂地結合在一起」（*Bringing children and books happily together.*）（註二）爲閱讀指導的基本原則；「兒童應享受到最優良的讀物」（*Children deserve the best.*）（註三）爲兒圖館員應有的服務態度。從讀者初次踏入圖書館兒童室之門，兒圖館員便開始對他提供閱讀指導的服務，首先和他建立一種友善、信任的關係，雙方的初次接觸便可能爲該讀者打開了圖書館歡迎的大門。因此，兒圖館員應特別注意新讀者，應主動、積極地使他們對兒童室的環境熟悉，瞭解圖書館所提供的一切服務。我們可樂觀地假定一般人都能將圖書館與圖書聯想在一起，但對「圖書館服務」却難有確切的瞭解。公共圖書館的兒童服務是爲社區內（甚至社區外）全體民衆所提供的，而兒童圖書館的主要服務對象除了學齡兒童（六至十四歲），更包括了學前的稚齡兒童、家長、老師，及對兒

童讀物有興趣或關心兒童的成人（註四）；圖書館內除了
傳統性的資料如圖書、雜誌、報紙外，尚有其他種類的資
料，如電影片、錄影帶、錄音帶、唱片、幻燈片等等，甚
至玩具、寵物皆包括在內。圖書館除了提供靜態、消極的
服務外，更包括動態、積極的服務，如說故事、教手工、
放映電影、舉辦各類比賽、展覽等，甚至參與社區內各種
社教、休閒活動。一般兒童室皆應準備各種實用而且吸引
人的推廣資料（介紹圖書館的規則、組織、館藏、服務…
等等）分贈讀者，必要時還為新讀者（個人、團體、兒童、
成人）作一有關兒童室的口頭介紹。

　　提供讀者閱讀指導的方式有團體的與個別的、正式的
與非正式的；而讀者們又大致可分為「讀者」（ *reader*）、
「非讀者」（ *non-reader*）及兒圖館員努力爭取的「不熱
衷的讀者」（ reluctant reader）。團體方式的指導通常為老
師或其他成人帶領學生至圖書館，由兒圖館員給予他們有關
圖書館的資料、服務及如何利用圖書館的介紹，此類活動
常稱之謂「班訪」（ *class visit* ）。（本章討論「活動」
時，將加以較詳細的說明），團體方式的指導多為正式的，
由兒圖館員為某一特定團體安排特定時間，按其特定的需
要給予講解服務，通常約花費一小時左右的時間。個別的
閱讀指導是屬非正式的，兒圖館員首先對個別讀者予以估
量，再憑其自身的專業知識與技能，對兒童讀物的熟悉及

說服力，向個別讀者推薦各種適合他們志趣或需要的優良讀物。這是一種極具挑戰性的工作，而一位兒圖館員的個性，能否與讀者溝通並獲得他們的信任，也是此工作成功與否的關鍵之一。兒圖館員爲了維持其服務水準，不僅要博覽各類兒童出版品，對於專業的書評，讀者的反應，各類的出版消息等都得隨時注意與瞭解。就從事閱讀指導這一項工作而言，兒圖館員可稱得上是一位圖書館員、書評人、推銷員（ *salesperson* ）及圖書館與社區民衆間的橋樑或公共關係專家（ *public relations specialist* ）。

　　從事個別閱讀指導時，可大致將讀者分爲三大類，再按照每類讀者的能力、興趣及需要給予不同重點的服務，工作起來也比較能得心應手、事半功倍。第一類乃具備閱讀技巧與能力，對閱讀已有興趣之「閱讀者」（ *readers* ）。兒圖館員的主要任務是介紹各種他們可能發生興趣的優良讀物，使他們多讀好書，因而更加強其閱讀能力與興趣，使他們終身有「閱讀癮」（ *hooked on books* ）。在兒童圖書館裏，此類讀者多爲小學中年級以上的兒童，事實顯示，閱讀興趣更受到年齡、性別、個人興趣及心智成長等因素的影響（註五）。通常中年級以上的兒童，不論性別，常會對某一種特定主題的讀物發生強烈興趣，因而，如何擴大其閱讀興趣的範圍，也是兒圖館員的主要任務之一。閱讀猶如進食，過份偏食不但對身體無益，久而久之，卽

使品嚐到山珍海味，也會覺得食而乏味的。對此類讀者提供閱讀指導服務時，必須注意「量」與「質」兩方面，甚至可以酌情推薦靑少年讀物，以作爲他們來日閱讀成人讀物的準備。第二類讀者爲旣無閱讀技巧與能力，又無閱讀興趣的「非閱讀者」（ *non-reader* ），他們是不做作業，也懶得看書或上圖書館的兒童。在他們的生活環境裏，很可能缺乏優良的閱讀環境，沒有與讀物接觸的機會，而學校亦未能達成其教育的任務（註六）。（ *The reading interests with which pupils come to school are the teacher's opportunity- the reading interests with which children leave school are the teacher's responsibility* ）（註七），對於這類讀者，學校應負責提供閱讀補習（ *remedial reading* ）的機會，而兒童圖書館站在社教機構的立場，亦應與學校及家庭合作，從旁給予協助，避免他們對圖書館產生生疏或畏懼感，並以各種活動及特別資料吸引他們，希望有朝一日他們對閱讀漸漸發生興趣。此類讀者通常較易接受視聽資料，因此，初步可利用幻燈片、電影片、唱片等作爲媒介，進而介紹較簡單而富趣味性及實用性的資料。第三類爲具有閱讀技巧與能力，但對閱讀缺乏興趣的「不熱衷閱讀者」（ *reluctant readers* ），他們是兒圖館員最應積極爭取的對象。兒圖館員除了先和他們盡量溝通，藉以發掘其眞實興趣所

在，還須進一步順應他們的興趣介紹讀物，運動、工藝、偵探、戰爭、幽默等類目，是他們比較容易接受的讀物。此外，書的封面、印刷、插圖，甚至字體的大小，書的厚薄，都能影響此類讀者的閱讀興趣。美國的出版商曾依據讀者閱讀興趣的調查資料，製作了一系列所謂「趣味性高、生詞字彙少」（ _high interest and low vocabulary_ ）（註八）的讀物，它們已成為「不熱衷閱讀者」、「非閱讀者」及閱讀程度低的成年人的恩物，也是出版商的搖錢樹。

公共圖書館的兒童服務，主要乃在積極地滿足各年齡兒童對閱讀的渴望與需要，使他們能盡情享受閱讀的樂趣——不論是來自新知的吸收、好奇心的滿足或僅享受一故事，進而養成終身利用圖書館的習慣。公共圖書館與學校圖書館兒童服務的分野即在於此，前者著重配合個別讀者的興趣與需要提供課外的、娛樂性的讀物，後者著重提供與學校課程有關的資料（註九）。雖然兒圖館員也歡迎學生到館做功課、搜尋資料、做研究等，但總希望為兒童室製造一種輕鬆、友善、溫暖、愉快的氣氛，使讀者們覺得這並非學校、書店，而是家以外的家，及在成人社會中，兒童最受歡迎的地方。經過兒圖館員數十年不斷的努力，今日美國的兒童圖書館大致已能達到上述的理想，兒童們在下課後、假日或假期中都會自動地利用圖書館，兒童圖

書館也成爲「鑰匙兒」下課後暫時的安身之地，是兒童們日常生活中不可缺少的場所（註十），如此的兒童圖書館才能發揮它的教育性、社會性及娛樂性的功能。

貳 讀者顧問服務（Reader's Advisory Services）

兒圖館員對讀者提供他所需要的適當讀物，最常見的例子爲：「我很喜歡某作家的書，您可以介紹我類似的書嗎？」「請介紹我一些適合五年級程度的科幻小說。」讀者顧問服務與閱讀指導及參考諮詢服務都有密切的關係，廣義的參考諮詢服務實包括前二項服務在內。兒圖館員提供讀者顧問服務時必須具備充份的「圖書知識」（ book knowledge ），能於最短期間內依據讀者請求，向讀者建議適當的讀物。當然，此項服務能否有效執行，除了仰賴兒圖館員個人的條件外，更需要有一豐富的館藏作支援，否則巧婦也難爲無米之炊。圖書館中各種書目工具、專業雜誌、卡片目錄等皆爲服務時不可或缺的參考資料。在國外，公共圖書館極重視讀者顧問服務，而兒圖館員正是名符其實的「讀者顧問」（ reader's advisers ）。老師們常藉助兒圖館員的專門知識與技能，提供學校課業的補充資料，以提高兒童們的閱讀及學習興趣，關心兒女的家長們也會和兒童圖書館保持密切的聯繫，利用圖書館的資源與專業服務充實孩子們的精神生活。

參　參考服務（Reference Services）

　　參考服務是兒圖館員爲讀者解答問題，尋求資料，輔導其利用圖書館及圖書資料的服務。解答問題的範圍包括有關兒童學校功課及課外或生活上的問題；尋求資料包括自書架上爲讀者拿某一特定的書，乃至推薦一系列的讀物；輔導利用圖書館及圖書資料的服務則包括向讀者解釋如何利用卡片目錄，圖書館內資料安排情形，如何利用各種工具書及一般性資料，甚至指導讀者決定讀書報告的題目，或著手進行研究等等。兒童有強烈的好奇心與求知慾，但欠缺經驗，故而對其生活中的所見所聞，及在學校教育過程中都會激發起無數的問題。這些問題往往在課堂上或家庭中不能得到滿意的答案，於是，利用圖書館的館藏及館員的專業知識尋求答案，便是最理想的途徑。今日學校漸注重啓發式的教育，鼓勵學生們從事獨立的研究，圖書館的參考服務也隨之更形重要了。一般說來，兒童一旦具有相當的圖書館常識與使用經驗之後，必然會興起諮詢的念頭。在美國的教育制度下，兒童對圖書館的認識較早，學校圖書館及公共圖書館兒童室的設立也較普遍及完善，公共圖書館的兒童室頗注重參考服務的提供，除了由專業人員負責外，各兒童室更具備爲數不少的兒童參考資料。目前，美國少數進步的圖書館甚至備有一成人與兒童合用的

參考館藏，可見兒童參考服務的重要性已被肯定及接受。

　　兒童參考服務的特點爲：㈠參考問題的範圍廣，但讀者所要求的答案以簡單明晰爲原則，且大部分屬於卽刻囘答的參考問題（ *ready reference questions* ）。兒圖館員除了常識豐富，應變力強外，對兒童世界的事物應特別注意，百科全書、字典、辭典、年鑑、指南、地圖、書目、索引等爲比較常用的參考工具。㈡兒圖館員從事參考服務囘答問題時，應先特別細心、耐心地澄淸問題，以瞭解其眞意。㈢小讀者總以獲得答案爲滿足，兒圖館員應盡力去滿足他。總言之，一般參考館員所應具備的條件及工作步驟都可適用在兒童參考服務上，但兒圖館員的服務態度却應更友善。平時兒圖館員應積極並主動地與學校老師聯絡，鼓勵學童有疑問可至圖書館尋求解答，更可邀請學校老師們抽空參觀圖書館，瞭解它的館藏與服務。教師在設計學校作業時，可要求學生儘量利用課本以外的資料，給兒童一個自由研究的學習機會，而不僅止於接受學校的教材。較先進的美國公共圖書館，近年來在兒童參考服務方面作了不少改進與努力，爲了配合兒童的需要，紐約市皇后區公共圖書館有所謂「打電話聽故事」（ *Dial-a-Story*），祇要撥一號碼便能免費收聽兒童故事的錄音，而在布魯克林公共圖書館有「電話指導課業」（*Homework Hot Line*）（註十一），祇要打電話至圖書館，有專業人員囘答，指

導兒童做家庭作業，但祇是提供做作業的途徑而非答案，
因而便引起兒童利用圖書館資料的興趣。

參考服務尚包括提供各種書目，作為個別閱讀指導的
輔助，及培養讀者獨立選擇讀物的指引。兒童圖書館編製
以主題、年齡、興趣而分類的各種書目，提供作者、書名、
分類號及簡短介紹等資料，並印刷或設計成悅目的小冊子，
大量分贈給讀者，以激起他們閱讀其中讀物的興趣。讀者
一旦將書目所列各書閱讀後，通常他會更要求其他的書目
作為進一步的閱讀指南。書目上均印有圖書館的名字、地
址及電話號碼，也確實可以替推廣圖書館業務作些公共關
係。唯一應注意者，讀者一旦利用該書目，書目上所載各
書便將成為讀者需求的對象，館藏內應有充分的複本備用，
以免有供不應求之虞。編製書目為耗時且耗財的工作，其
作業最理想的是由系統內各分館的兒圖館員協同辦理，
或由相近地區的各館合作編製，既可滙集卓見，又能省時
省力。

肆　圖書館內的活動 （Activities and Programs within the Library）

國外公共圖書館的兒童服務部門由於經常舉辦各種活
動，較顯得有聲有色，多彩多姿，為成人及青少年活動所
望塵莫及者；這也是兒童服務與其他服務所不同的地方。
圖書館的行政主管常認為兒圖館員是專業人員中最具活力

的一群。一位有創造力、經驗豐富，富敬業精神的兒圖館員，在所服務圖書館人力、物力資源允許情況下，的確能創造各種配合當地讀者所需要的各種活動。兒童圖書館的活動並非是一種「虛飾」，實際上是有計劃的整體兒童服務項目中很重要的一環。它最低限度應達成下列三個目的：㈠使利用兒童室的小朋友們獲得更多的經驗，並加強他們的閱讀興趣；㈡吸引社區內平時不利用圖書館的潛在讀者來閱讀；㈢兒圖館員從參加者的反應，能更進一步地瞭解圖書館利用者的興趣與需要（參見圖表5-1）。近年來美國兒童服務在不斷地改良中，兒圖館員漸漸體會到舉辦活動的重要性，於是，兒童圖書館的活動在量和質方面都有了顯著的進步（註十二），在這方面充分表現出兒圖館員的創新及試驗精神。

　　公共圖書館的兒童室多於課後、星期六、日及其暑假期間舉辦活動，今就傳統性的服務措施：學前時間（ *pre-school hour* ）、故事時間（ *story hour* ）、班訪（ *class visit* ）、電映節目（ *film program* ）、美勞活動（ *arts and crafts* ）、閱讀俱樂部（ *reading club* ）等及其他推廣活動討論於後：

　　㈠學前時間（ *pre-school hour* ）是特別爲入學前三、四歲幼兒而設計的，參加人數每次約限十五至二十五名較理想，可用註冊方式登記人數，通常在每週的同一日上午

```
                    BROOKLYN PUBLIC LIBRARY

                 Audience Evaluation of Program
 1.  Has this meeting been worth while?

     Very _____ Moderately _____ Not Worth while _____
 2.  If not of value, why?  Poor presentation _____
     Subject not of interest _____ Other reasons _____
     _____

 3.  Did this meeting present some ideas that are new to you?
     Yes _____ No _____
 4.  Does this meeting make you wish to talk or read further
     on this subject?  Yes _____ No _____
 5.  Would you attend more programs like this?
     Yes _____ No _____
 6.  What other subjects for programs would you like to see
     made available in your library?


 7.  Do you have a library card?  Yes _____ No _____
     Did you obtain your library card from:
     Brooklyn _____ Manhattan _____ Queens _____
 8.  How often do you use your library?
     Weekly _____ Monthly _____ Seldom _____
 9.  How did you find out about this program?
     Newspaper (which one?) _____ Radio (which station?) _____
     Branch Library _____ Library News Bulletin _____
     Brooklyn Public Library Monthly Program of Events _____
Branch _____
Name of Program _____
                                    Date_____
```

圖表 5-1 Brooklyn Public Library Audience
Evaluation of Program

舉行，每組約集會六至八次。參加者旣爲極年幼的兒童，他們的反應是自然而不受拘束的，所以主持節目的兒圖館員除了必須具備對幼兒的認識，更應特別週詳的籌劃一切。兒圖館員首先必須使家長瞭解：學前時間並非免費代爲照顧兒童，而是爲了將優良讀物、與同年齡兒童相處的機會及集體聽故事的經驗，提早介紹給尙未屆學齡的幼兒。

「學前時間」必須在一與閱覽室隔離且安靜的空間舉行；空氣必須流通，光線充足，且佈置和諧悅目。座位可排成半圓形，兒童可坐椅上，或盤腿坐於地氈上或自備墊子上。「學前時間」種類很多，傳統的「學前時間」（註十三）不准許家長進入室內，但家長亦不應將孩子留下便自行離去，圖書館常同時利用此時間舉辦與育兒或家庭生活有關的座談會、討論會、演講會或書展等，讓等待的家長們也能愉快地利用這段時間享受圖書館的服務。由於幼兒的注意力不易集中，「學前時間」約三十分鐘卽可，兒圖館員可唸兩本簡單而插圖美麗、淸晰的圖書故事書，務必使在座每位聽衆都能淸楚地看到插圖；故事間可加插唱遊、手指遊戲等，以調劑氣氛；節目始末可排定一些例行「插曲」，如放音樂、問問題或玩遊戲等。故事進行之中絕對禁止發問或任何無謂的干擾，必要時兒圖館員可以眼色或手勢示意，甚至可請該兒童離室。兒圖館員盡量與各聽衆建立視線的接觸，好似有一條無形的線和每位聽衆連

接，使整個場面較易控制，而兒童們也因感到受人注意而較有安全感。節目前，先請家長帶兒童上洗手間也是必要的，可以避免發生意外的干擾。

兒圖館員唸故事的聲音要明朗、清楚，抑揚頓挫，且字句、段落分明，速度快慢適中，宜選擇自己喜歡的、戲劇性的、幽默的故事加以充分準備至熟能生巧的程度，唸來自然流暢，聽者也自覺生動。翻書頁也是一種值得研究練習的技巧，必須配合故事的速度，且態度從容、自然。兒圖館員主持節目時可坐或站，姿態以舒服為宜。圖書館附近如有托兒所，為能服務更多的學前兒童，可安排時間邀請較多的幼兒（視會場大小）每月一次觀賞電影或幻燈片、錄影帶之類。就本人工作經驗而言，「學前時間」是最具挑戰性的活動，兒圖館員雖全力以赴地去做，然而結果則常難預測，那群活潑可愛的小朋友們隨時可以給你一些「驚奇」和「難堪」。但是，兒圖館員一旦交了一位學前朋友，他不僅為圖書館請來一位常客，更可能將整個家庭也帶進了圖書館。

㈡故事時間（ *story hour* ）　「講故事」的活動是兒童圖書館的一大特色，也是其他類型圖書館所沒有的。兒童們對於聽故事，往往是樂此不疲，美國兒童圖書館對「講故事」的服務非常重視，對館員在這方面的訓練也比較嚴格，在大學及研究所裏也均提供「講故事」的課程。

著名兒童文學家及說故事專家 *Ruth Sawyer* 及 *Elizabeth Nesbitt* 均認爲講故事是一種藝術（註十四），也是傳播兒童文學的重要途徑之一。兒圖館員從事「講故事」的活動前，應受到適當的指導與訓練，諸如參加研習會（*workshop*），實地觀察專家「講故事」，參考各種文獻及視聽資料（註十五）等。一般兒童都喜歡聽故事，「故事時間」已成爲兒童圖書館主要活動之一；托兒所、幼稚園及低年級的老師們也以「講故事」作爲助長兒童語文發展方法之一；父母親也利用「講故事」作爲與兒女溝通及共享家庭樂趣的機會。兒童圖書館內舉行的「故事時間」可考慮聽衆的年齡，分爲「圖畫書時間」及「故事時間」，前者是專爲幼稚園及低年級兒童而設，此年齡的兒童爲很理想的聽衆，他們已能靜坐稍長時間，能瞭解內容稍複雜的故事。兒圖館員不必限於利用圖畫書，可以向他們「講」（不必同時利用插圖）簡單的民間故事、童話之類，他們由於想像力的逐漸發展，已開始可以從語文中體會出故事人物的造型及情節的發展，而不必依賴從插圖得來的印象（註十六）。

兒童在此年齡已開始學習閱讀，父母很少爲他們「講」或「讀」故事，對某些兒童便可能造成心理的問題，而致潛意識地抗拒學習閱讀。圖書館的「圖畫書時間」雖然不能代替父母的「講故事」，最低限度對兒童已顯示出「我

們關心你」的具體意義，同時也能提高他們的閱讀興趣，使他們瞭解書中自有黃金屋。圖書館如分別舉行「圖畫書時間」與「故事時間」，則後者可保留爲年長兒童的專門節目，使兒圖館員能夠比較有效地提供節目。近年來美國圖書館服務活動中，「故事時間」的份量已有減少的趨勢（註十七），其原因可能是：㈠今日兒童享受課外活動的機會較多，且看電視時間長，因而閱讀的時間也相對減少。㈡「講故事」的整個過程太耗時、耗力，兒圖館員從決定時間，選擇故事，準備故事，認識可能的聽衆，乃至做宣傳，安排場地等，都得親自處理，而提供固定「故事時間」的兒圖館員，一週的工作時間，至少有一整天是用作準備「故事」的。㈢並非每位兒圖館員都是適於講故事的，因而不少兒圖館員便逐漸減少這種辛勞而不一定有績效的工作。無論如何，兒童服務中少不了活動，而活動中也不能缺少「講故事」這一項。由於從業人員條件不一，各有所長，並非每位兒圖館員必須「講」故事，圖書館當局可以挑選合格人員予以適當的訓練後,令其負責主持。但籌劃「故事時間」的節目時，一定要遵守舉辦兒童活動的一般原則：「重質不重量」。

對兒童講故事時應注意下列幾點：㈠選擇本人喜歡且能講的故事。故事若不能吸引自己，又唸來不順口，是極不易引起聽衆興趣的。兒童們年齡、性別的不同，對故事

也會有不同的興趣和喜好（註十八）。㈡充分的準備: 包括對聽衆、講故事的環境及故事本身的了解。如能將故事背熟，並使自己沈浸於故事的氣氛中，則收效最大。㈢音調方面: 講故事者必須用眞誠、平實、清楚而自然的語調講述，不須矯揉做作。講故事時或坐或立視個人的習慣而定，若採站姿，則較利聲音的運用，且能較有效地與聽衆的視力接觸。講前大聲唸幾遍或加以錄音，將有助於聲調高、低、快、慢及抑揚頓挫的修正，以配合故事的情節與氣氛。㈣態度表情: 講故事者在講前可對著鏡子或假想對象練習，以改進姿態和手勢。講故事時表情和手勢是免不了的，不過要注意是在「講」故事，而不是在演話劇，表情手勢要自然，因爲講故事者主要是利用其聲音將故事傳遞給聽衆，講的人祇是傳遞故事的媒體。同時，講故事者的衣著、首飾也不應誇張炫耀，以免分散聽衆的注意力。㈤時間的安排: 活動時間以配合學校放學時間及兒童作息時間爲宜，因聽衆年齡不同，活動時間的長短也應有不同的安排，大致上，總在二十分鐘至五十分鐘以內。同一活動的時間最好固定地安排在一週中的某日，或一月中的某日，或某星期幾，以方便讀者記憶。

　　㈢「班訪」（ *class visit* ）　乃由圖書館附近學校的老師們，與圖書館的兒圖館員聯絡，請求安排特定時間（在上課期間內約一小時左右），對某班學生作圖書館利

用的教育，包括：介紹圖書館的規則與服務，介紹各種圖書資料，或提供講故事、放電影等活動，這屬於前述團體閱讀指導方式之一。成功的「班訪」活動有賴老師與兒圖館員的密切合作。學期開始時，兒圖館員便自動發函各學校介紹圖書館的「班訪」活動，並請校長教務主任於校務會議或教務會議通知各老師，有興趣的老師即向兒圖館員接洽時間，經兒圖館員安排後，老師將學生資料（包括姓名、年級、地址、家長姓名、曾否申請或遺失借書證等）送交圖書館，圖書館於「班訪」日期前為各生辦妥借書證手續，學生參觀兒童圖書館後便可立即外借圖書。藉著「班訪」的機會，兒圖館員和全班學生及老師、隨行的家長（在國外，任何到校外的活動或參觀，均有兩位家長代表隨行）間建立友好關係，並從問答中進一步了解學生大致閱讀情形（包括興趣與需要），再介紹利用圖書館須知的規則，資料的安排與利用，和各種服務與活動。最後並保留三十分鐘的自由閱覽及借書時間，任由學生自由發問，及翻閱各類圖書。同時，兒圖館員並盡量提供個別的閱讀指導。老師可要求在還書日期前再安排「參觀」，利用機會集體還書、借書、自由閱覽等。老師們也可以要求兒圖館員對學生作各種主題的講解、講故事、介紹（單元）圖書或視聽資料，作為教材的補充資料，增加學生的閱讀及學習興趣。「班訪」可預期的效果是：㈠能對年齡及閱

讀程度相近的兒童作集體的閱讀指導。㈡經由「班訪」活動，使更多學齡兒童了解兒童服務，養成課後及假期利用圖書館的習慣。㈢增加老師與兒圖館員間的溝通機會，使公共圖書館與學校相輔相成，充分發揮教育功能。但「班訪」活動也可能產生下列問題：㈠增加圖書館全體工作人員的工作量。㈡由於兒童集體借書，圖書外流量必然增加，隨之而遞增的是館藏的遺失率及耗損率。㈢如老師或兒圖館員有一方缺乏敬業精神，「班訪」的效果將大打折扣，並有流於「形式化」的可能。權衡利弊，「班訪」仍爲極有效的團體閱讀指導方式之一，兒圖館員可視圖書館人員、館藏情形，酌量提供此項服務。

㈣電映節目（ *film program* ）　電映節目是今日各兒童圖書館最流行及極受歡迎的活動，由於此項活動不須兒圖館員耗費太多時間準備，且每一節目可以容納極多各年齡、性別的觀衆。圖書館舉辦電影節目之初衷乃期利用「電影」吸引更多的讀者至圖書館利用資料。惟假以時日，圖書館員也漸了解電影是大衆傳播中重要的媒體，也是學校教育中主要的教學資料之一。電影正如圖書一般具有多種功能：㈠電影能給予觀衆美感的體驗，使他們感動至流淚或歡笑。㈡電影能引發觀衆對某問題的深思熟慮，而成爲大衆討論的話題。㈢電影能傳播各種知識。電影在兒童圖書館服務中的重要性，偏向於發揮㈠㈢項的功能，而兒

圖館員在籌劃節目時必須先確定其目的: 娛樂性、教育性或是一般性 (以社區大衆爲對象)。美國兒童及靑少年電影資料來源極豐富 (註十九),且每所圖書館都具備放映機,圖書館員略經訓練,都能操作新式而簡便的放映機。各圖書館利用電影作活動的方式很多: 有放映基於兒童讀物而製作的影片,專供兒童欣賞; 有放映與社區大衆興趣有關的影片,以吸引大量觀衆; 有放映攝影技術不同的影片,供觀衆比較觀賞; 有放映兒童、靑少年自己創作的影片,使大衆共享社區內的資源; 更有借用商業影片的。無論如何,圖書館的活動應與提倡利用圖書館的圖書資料有關,故應配合節目內容,陳列各種圖書資料,供觀衆瀏覽、借閱,甚至編製書目,提供觀衆一些與節目內容相關的閱讀資料。

放映電影時必須減低亮度,故應在公衆閱覽室以外的適當場所舉行,以免妨碍其他讀者。舉行節目前,兒圖館員對於影片及放映機應作仔細的檢查,以免因技術上的小問題而使節目不能順利進行。操作放映機者尤其應對機器的性能熟悉,並能應付一些突發的技術上小問題。較大的圖書館若舉行規模大 (指觀衆人數多) 的電影節目時,最好由圖書館中的助理員或技術人員充任放映者 *projectionist* ,使兒圖館員能專注於提供讀者服務,務使節目能收到最大的效果。

㈤美勞活動（ *arts and crafts* ）　這類活動多於課後或寒暑假期間舉行。如圖書館自身能提供材料爲最理想，活動包括縫紉、刺繡、編織、製作禮物、紙花、剪貼、摺紙工、畫畫等。活動的難易程度按參加者的年齡而定，惟年齡較小的兒童手指的協調運作較不靈活，則以舉辦最簡單的活動爲適當。在使用利器如小刀、剪刀等時，應注意安全問題。製作的成品可讓孩子帶回家「炫耀」，也可寄放於圖書館作展覽之用。美勞活動的主持人不僅限於兒圖館員，任何圖書館工作人員、老師、家長皆可充任。圖書館更可以展示有關手工藝之圖書資料，來配合活動的進行。一般而言，青少年或較年長的兒童皆甚喜好此類活動。

㈥特別活動　上述各項節目皆宜於每週、月或季繼續舉行。惟有些特別性質的節目，則僅能偶爾爲之，如邀請兒童文學作家或插畫家爲兒童演講，談及自己的作品；邀請音樂家示範各種樂器；魔術及木偶、紙偶或皮影子戲的演出等（註二十）。設計規模比較大或耗費大的活動，可與社區內公、民營有關機構或單位合作，以節省人力、財力，分享社區資源。紐約市布魯克林公共圖書館曾與社區內機構合作，舉辦「家庭之夜」，當晚社區內參加活動的家庭，男女老幼一同進入圖書館，或觀賞電影、或參觀書展、或光顧義賣等，眞是盛況空前。此種活動不僅吸引了社區內更多居民接受圖書館的服務，更拉近了社區民眾與

圖書館的距離。

㈦兒童自辦之活動　兒圖館員除了爲兒童主持各種活動外，也可以鼓勵兒童們舉辦自己的活動，如演話劇、歌劇、舞蹈會等，更可提供圖書館的會議室、大禮堂給社區兒童作各種活動的場所。

㈧假期活動　在漫長的暑假中，部分不出外度假的兒童應好好的利用兒童圖書館。如兒童室備有冷氣或空調設備，兒圖館員可在這比較淸閒的季節舉辦系列的假期活動，如：閱讀俱樂部、朗誦、電影或音樂欣賞等。但不宜安排過多的節目，因爲這是一年中兒童圖書館的淡季。兒圖館員需要利用這段時間休假，從事閱讀，或做一些平日未能完成的工作，如佈置兒童室，改良圖書資料的安排，淸點館藏，檢查目錄卡片等。

伍　圖書館外的活動 (Activities Outside the Library)

現代社會的兒童圖書館服務，早已延伸至圖書館的四壁之外，兒圖館員在公園裏舉辦「講故事活動」便是一個明顯例子。此外，兒圖館員更積極地、主動地與社區內各機構及社團密切合作，共謀兒童的福利，不僅接受邀請至學校對全體或部分學生、老師、家長演講，介紹圖書館、申述「閱讀」對兒童的重要性、如何有效利用圖書館等等（註二十一）。甚至更進一步提供資料予社區內其他兒童

福利機構及兒童工作者（協助他們如何提供更好的服務），
社區內有許多機構、團體需要兒圖館員的專業指導與協助。

陸　推廣服務 (Extension Services)

　　推廣服務乃圖書館運用各種方法，促使更多數的社會
大衆利用圖書館，以充分發揮公共圖書館服務社會的功能。
國內圖書館多設置研究及推廣部門，並極重視推廣工作，
今僅就兒童圖書館的一些推廣服務項目，介紹如後：

　　㈠展覽　圖書館中的兒童室應保持一種輕鬆、愉快、
友善而吸引人的氣氛，兒圖館員經常設計各種展覽或展示，
以配合該室所舉辦的活動或特殊節令，因而展覽或展示兼
收美化兒童室、及吸引更多讀者利用資料與服務之效。一
般兒童室的展覽或展示，大多爲小規模者；例如：利用展
示箱或櫃，展覽各種兒童製作的手工藝品、收藏品及各主
題的資料；或利用兒童室之一角，陳列某主題各作家、插
畫家的作品；或展示新進館的資料等。原則上，除展示箱
或櫃內之書、物不能移動外，其他展覽項目皆能自由流通。
因爲展覽或展示祇是吸引讀者利用資料與服務的手段，故
兒圖館員不必過分耗時傷財，一切應以實用、簡單、美觀、
新穎、吸引人的原則去辦理。例如：利用部分書架陳列新
書、或當日歸還圖書；甚至以大沙盒（ *sandbox* ）載書置
放於兒童室顯眼處，皆能吸引讀者的注意，其理由正如行

人經過有廉價品出售的櫃枱，免不了停步察看一番。

　　㈡重視閱讀俱樂部　「重視閱讀俱樂部」*RIF Club*（*Reading is Fundamental Club*）及「兒童的天地」（*Child's Place*）（註二十二），皆爲美國聯邦政府以經費支助而遍及全國各圖書館的兒童推廣服務，前者目的乃在鼓勵兒童閱讀，並提供兒童（尤其是家庭環境貧困、沒有機會接觸讀物者）閱讀、選擇自己喜愛的讀物及擁有自己圖書的機會。凡參加*RIF*俱樂部的兒童，可以從一特別館藏借書，如按時還書更贈予一書做爲獎勵。此活動原僅限於兒童參加，後因成果奇佳，因而擴展至靑少年讀者。

　　後者乃將部分圖書館兒童室的功能，擴大爲學前兒童及其父母的學習中心，該兒童室除了敎育學前兒童，更敎育他們的父母。此類中心設置學前兒童圖書資料及有關學前兒童的圖書資料；更爲兒童擧辦「學前時間」，爲他們的父母及其他服務兒童的成人提供各種研習會及諮詢服務。

　　美國的總統、聯邦及州政府對各地方圖書館均全力支持，多種聯邦立法（註二十三）並明訂給予各種圖書館經濟及人力上的協助。目前，我國學前兒童爲數不少，而爲學前兒童謀福利並提供服務的機構不多。在這方面，我國公共圖書館的兒童部門，確可提供一些實質的貢獻。

　　㈢美國公共圖書館積極利用大衆傳播媒體，尤其是在廣播、電視安排「講故事」、「談書」、「介紹作家、插

畫家及圖書館」等節目，更利用電話設計「打電話聽故事」
（*Dial-a-Story*），「電話指導課業」（ *Homework
Hot Line*）等既方便又實用的方法，提供進一步的服務。
今日我國國民生活已日趨富足，國內公共圖書館界是否也
能利用圖書館的服務，提高兒童的生活素質呢？圖書館斟
酌本身的情況，再配合社區的資源及需要，實能創新推廣
服務，不必祇侷限於展覽、演講、比賽等活動。

　㈣對於特殊兒童的服務　特殊兒童乃指智高、智低、
視力不佳、聾、啞，及因身體或心理不正常，而不能離家
或在醫院及教養院的兒童。一般而言，兒童室應盡能力直
接或間接地提供他們資料與活動，也歡迎他們的團體或個
人參觀圖書館，不應將他們摒棄於服務對象範圍之外，館
內若沒有點字或有聲書等特殊資料，也應設法協助他們獲
得。美國有專門機構爲殘障兒童、成人的父母或親人編製
的多種資料，圖書館員負責使讀者瞭解這種服務，並推廣
特殊資料的利用。圖書館也派員至醫院或教養院講故事或
做其他活動，利用郵政及電話將資料傳送給行動不方便，
或居家不能外出的兒童。

　　國內兒童圖書館（指公共圖書館之兒童室），就數字
而言也不少，惟其提供的服務則與國際水準相差懸殊，無
論在技術或公眾服務方面均有待加強。稍有規模的兒童圖
書館；如行天宮兒童圖書館、國語日報兒童圖書館、中央

圖書館台灣分館兒童室等，因有專業人員從旁指導或親主其事，在公衆服務的某些方面如：展示、展覽及舉辦活動等都頗為重視。然而在閱讀指導、讀者顧問、參考服務等各方面則是乏善可陳。快樂兒童中心近年來，不斷召集並訓練具服務熱誠和耐心、對兒童感興趣之在職及在學青年，使成為圖書館服務的義務工作者（不少在學圖館系學生也參加此工作）。他們於週末被派至快樂兒童中心圖書室、中央圖書館台灣分館、洪建全視聽圖書館、板橋兒童圖書館、台北市立圖書館總館、台北市立東園分館、台北市立城中分館、台北市立城北分館等地，提供兒童公衆服務，內容包括說故事，介紹優良讀物，安排文康活動如查字典比賽、塡字比賽、常識問答、聯想、發表等，並以遊戲方式，定期舉辦認識圖書館等活動。社會慈善服務機構，如快樂兒童中心能自動地加強各兒童圖書館公衆服務的義舉，不僅帶給孩子們無限的快樂與教育機會，更多少也帶動了兒童圖書館的發展。根據中央圖書館最新調查統計，台灣全省共有公共圖書館三百八十六所（註二十四）（其中包括台北市二六所，高雄市十所）。如果我國公共圖書館無法辦到每館均有專人負責兒童服務，則最低限度各縣立圖書館、市立圖書館或省立圖書館總應有專業人員負責該縣、市或省立圖書館兒童服務的領導或協調工作。最理想的是建立全省的圖書館網，在省立圖書館增設兒童服務部門，負責推動全省各公

共圖書館的兒童服務，紐約市布魯克林公共圖書館系統的行政組織實値得參考（參見圖表 1 - 3 ， 1 - 6 ， 1 - 7 ， 1 - 8 ， 1 - 9 ）。

兒童圖書館的公衆服務與圖書館其他方面的服務略有不同，這種工作是高度專業性的，必須由曾受專業教育、愛兒童、了解兒童讀物、有耐心及服務熱忱的專業專任館員負責，兒圖館員必須與讀者建立一種信任及友誼的關係，才能有效地提供閱讀指導、讀者顧問、參考服務、做活動……等。國內圖書館中卽使有一兒童室，也僅是提供兒童們一個看書的場所，更因爲負責的人員不是專業或專任人員，祇負責「看管」圖書及兒童，如何能主動、積極地指導兒童、鼓勵其發問、尋求答案？又如何能更進一步提供上述的各種公衆服務？

經營兒童圖書館的三大要素爲館員、館藏與館舍，假如缺一，兒童圖書館的發展將無法突破。目前國內稍有基礎的兒童圖書館應更進一步主動與學校老師聯繫，最好請老師們來館參觀，鼓勵兒童有疑問可到圖書館尋求解答，而圖書館本身亦應加強其服務。兒圖館員如必須負責兒童室之公衆及技術服務，或其他事務性的工作，則必會感到分身乏術，事事不能兼顧，而必筋疲力竭。兒圖館員最理想能訓練一兩位助理員或工讀生，在其指導下分擔技術性及事務性工作。在同一地理或行政區域內之數個兒

童圖書館如能合作，從事聯合採購、分類編目、及印製書目等工作，以節省人力、時間，使兒圖館員有更多時間提供公衆服務。仍在起步階段的國內兒童圖書館，必須重視專業知識，參觀一些已有規模的兒童圖書館，吸取其經驗，更應了解社區內兒童的需要，以確立該館的特色，加強宣傳工作以吸引讀者，並加強靜態的公衆服務如閱讀指導、讀者顧問及參考服務，使利用圖書館的讀者均有賓至如歸的感覺，再進一步加強舉辦活動，及推廣服務。

　　美國的圖書館分工細密，除了按工作性質而分專業與非專業工作，公衆服務與技術服務；因服務對象而分成人服務與兒童服務。兒圖館員將大部分工作時間分配在公衆服務上，在必要時館內同仁更從旁協助。分館的主任祇負責協調館內各部門，兒童部門則由兒圖館員負其主要責任，每逢兒童服務方面有何困難或問題，皆可以直接向其上司——兒童部門協調主任請示。在如此理想的工作環境下，每位兒圖館員都願意盡其所能地發揮工作效率，全心全力地爲兒童們服務，使其主管的兒童室成爲兒童們理想的自由學習、研究場所及休閒世界。

附　　註

註　一：鄭雪玫，「美國公共圖書館的兒童服務」，中國圖書館學會

會報第三十二期（民國六九年十二月七日）：頁37-42。

註　二：Allen Kent，*Encyclopedia of Library and Information Science* v. 4 (New York : Marcel Deker , 1970) : p.561.

註　三：Lowell A. Martin, *Baltimore Reaches Out : Library Services to the Disadvantaged* (Enoch Pratt, 1967) , p.17-18.

註　四：Carlton Rochell, ed。, *Wheeler and Goldhor's Practical Administration of Public Libraries* (New York : Harper and Row, 1981) , p。226.

註　五：鄭雪玟，「兒童的閱讀習慣」，中央日報（讀書第一○八期），民國六九年六月四日。

註　六：Jean Key Gates, *Introduction to Librarianship*, 2nd ed. (New York : McGraw-Hill Book Co., 1976), p.240.；Melvil Dewey, " The Profession ." *The American Library Journal* . no.1 (September 30, 1876) : p.5-6 .

註　七：Charlotte S. Huck, *Children's Literature in the Elementary School*, 3rd ed. (New York: Holt, Rinehart and Winston, 1979)

註　八：參見註五。

註　九：*Ibid*. p.225.　　對於學校圖書館閱讀指導服務有興趣者，

　　　　請參考王振鵠、沈寶環、盧震京、盧荷生、林美和、高錦雪、

　　　　許義宗、鄭含光等人有關學校圖書館之著作。

註　十：鄭雪玟，「美國的兒童圖書館」，中央日報（讀書第九一期）

　　　　，民國六九年一月三十日。

註十一："Homework Hotline." *American Library Bull-*

　　　　tin. V.11（May, 1980 ）：P.257.

註十二：Dorothy M. Broderick, *Library work with*

　　　　children（ New York：The H. W. Wilson, 1977），

　　　　p.97.

註十三：Juliet Kellogy Markorosky, "Story time for

　　　　Toddlers ." *School Library Journal*.（May,

　　　　1977 ）, p.28-31.

註十四：Elizabeth H. Gross, *Public Library Service*

　　　　to Children（ Dobbs Ferry：Oceana Publica-

　　　　tions, , 1967 ）, p.90.

註十五：Gross, P.104-105，又見Broderick, P.111, 及

　　　　張之瑛等，「快樂服務，服務快樂──快樂兒童中心服

　　　　務報告」，圖書館學刊第八期（民國六八年七月一日）：

　　　　頁21-47。

註十六：Huck, p.32-33.

註十七：Broderick, p.102.

註十八：參見註五 。

註十九：Broderick, p.114-116.

註二十：張之瑛等, 「快樂服務, 服務快樂——快樂兒童中心服務報
　　　　告」, 圖書館學刊第八期（民國六八年七月一日）：頁21-
　　　　47。

註廿一：　Alice Hofmann, "Class visit short cuts."
　　　　School Library Journal. (Dec.1982), p.32.

註廿二：Brooklyn Public Library, 81st Annual Report
　　　　(New York : Brooklyn Public Library, 1978
　　　　-1979).

註廿三：Gates, p.124-127.

註廿四：國立中央圖書館編, 第二次中華民國圖書館年鑑, 台北市：
　　　　編者, 民77年。頁30-33.

第六章 兒童圖書館的經營管理

壹 經營管理的基本問題

貳 實際技術問題

　　前面第二、三、四章已將兒童圖書館的實體（館員、館藏、館舍）問題分別加以探討，第五章對與服務有關的問題也已詳予討論。唯有透過經營管理，實體及服務的功能，方能於圖書館行政體系中確實發揮。因此，圖書館的實體及服務之功能是否能充分發揮，誠繫於其經營管理之品質如何而定。實務上，經營管理和實體、服務乃一體之兩面。良好的經營管理必然會產生高品質的實體及服務功能；而高品質的實體及服務層面當然是淵源於良好的經營管理。兒童圖書館的實體及服務層面，透過經營管理的串聯，便融合成一個活生生的推廣社會教育的有機體。

　　史都爾及伊斯力教授合著的「圖書館經營管理」

Library Management 一書，對現代圖書館的經營管理已有極清晰而又廣泛的闡述（註一），此處無庸再加敍述。本章僅就實務的觀點，探討及申述與兒童圖書館經營管理有關的一些基本及技術性的問題。

壹　經營管理的基本問題

談到基本問題，我們都知道凡是冠以「基本」形容詞的事體，多能「置之四海而皆準」。下面要探討申述的基本問題，或許也可能應用於任何時間、空間，而不一定僅適用於兒童圖書館的經營管理。這些基本問題，談起來也許早已衆所週知，並非創見，毫無任何玄奧之處。但是，世上常見許多越是淺顯的道理，卻越容易爲人所忽視。以下要探討的六個有關兒童圖書館經營管理的基本問題，便是經常被人忽視的淺顯問題。

㈠圖書館目的之配合　兒童圖書館員於經營管理兒童圖書館或兒童室時，應竭力避免自身的觀點或職業上的觀點，造成不能與圖書館目的配合之偏差。舉一個簡單的例子，大家都知道設立公共圖書館的目的之一，便是要發揮社會教育功能。而時下兒童圖書館經營管理時最易犯的毛病便是借書規則的繁複與不合理，有形或無形地會令讀者望而卻步，致使設立公共圖書館的原衷大打折扣，目的無法達成。這種現象可能種因於目前從事圖書館業者，多非

受過專業訓練者，是以無由瞭解公共圖書館之正確目的。另外，也可能是由於大部分非專業主管來自不同的行政機關，受到過去的經驗及行政觀點的影響，認爲應該極力維護公家財產。維護公共圖書館財產的簡易辦法便是減少圖書的流通及嚴格管制讀者。因此，這樣的經營管理，當然會產生與圖書館目的不能配合之偏差。

　　孰不知公共圖書館（兒童室或兒童圖書館）是一個特別的行政體系，其與一般的行政機關迥然不同。圖書雖被視爲「財產」，但它卻是不尋常的「財產」。圖書館的一個主要目的，便是在經由頻繁的運用其不尋常的「財產」（圖書資料），以發揮其社會教育的功能。此種「財產」如不盡量加以流通運用，則與廢紙亦無兩樣，所以，兒童圖書館之經營管理，首先要與圖書館的目的相配合，不能背道而馳。

　　㈡計劃　在經營管理中，計劃是發展導向的工具。一個良好的計劃可以使業務發展有次序地且有效地進行。計劃首重在可行性。不可行的計劃，無論作得如何出神入化，天花亂墜，終究僅僅是「紙上談兵」，櫥窗裡的擺式而已。良好的計劃必然是可行的，但可行的計劃卻未必是良好的。可行的計劃必須要在層次、順序及重點上有適切的安排，方能稱得上是良好的。因爲，層次不明，順序顛倒，輕重不分的可行計劃，會增加時間、人力及物力上的無謂浪費，

而降低其經濟效益。如此，又怎能稱之謂「良好」呢？

　　計劃依時間區分，可分爲長程與短程（一年內）；依範圍區分，則可分爲一般性與專案的。通常圖書館多根據各種客觀條件（例如國民所得、家庭結構、教育需要、經濟導向、人力資源、大眾傳播……等等）的發展趨勢釐定三年、五年、甚至更久的長程發展計劃，作爲圖書館業務經營發展之導向藍圖。於長程計劃期間，並須時時依據現實情況之改變，予以修正調整，以因應現實的需要。短程則多爲每年度釐定以配合長程發展之計劃。就範圍而言，一般性的計劃多爲關繫圖書館整體之通盤性計劃，譬如，將某縣立公共圖書館改制爲省立公共圖書館的計劃即屬此類。專案的計劃多涉及達成一特定目標的計劃，譬如，某市立公共圖書館釐定一該館自動化計劃便屬此類。總之，計劃對圖書館之重要性，在於它能給予其經營發展之導向（ *orientation* ）。而良好計劃的第一要件在於其可行性。再進一步就釐定計劃內容是否有層次、按次序、分輕重、合乎成本效益原則等來詳加評斷。

　　㈢執行　經營管理配合了圖書館目的，又有了良好的計劃之後，仍然需要透過有效的執行過程，方能產生預期的效果。執行過程中，必須要持續運用協調（ *coordinate*）及諮詢（ *consult* ）方法，以便計劃能有效地實施。協調是在縱的與橫的方面行政單位的聯繫協商，可使各單位在各方

方面相互配合無間，以避免在執行計劃時，發生不必要的瓶頸或重複作業等等，致預期的效益受到影響。諮詢是就某特定事物徵詢某特定有關單位或個人的意見，期透過意見上之溝通，以減少或避免執行計劃上的阻力。在執行過程中，當發生技術上的瓶頸時，最常用的解決技巧便是諮詢。參酌專家的意見或建議，技術上的問題即可迎刄而解。總之，爲使經營管理的計劃能早日實現，兒童圖書館主管除了運用前述兩種方法外，更須運用智慧不斷地改進執行的技巧。

㈣科學的經營管理　圖書館的經營管理，無異於任何組織的經營管理，應該不斷吸取新的觀念及做法。公共行政學提供之分層負責制度，足資兒童圖書館採用。而近數十年來行爲科學的發展，更是爲管理科學開拓了新境界（註二）。在這方面實在有太多的觀念及做法足供我們吸取及採用，例如透過「認同」與「榮譽」可以激發出親愛精誠的團隊精神；再如運用適當的人事獎懲、輪調及升遷制度，當然可以提高工作效率等等。科學的經營管理要義，簡短地講，便是四書中所云「日新，日日新」。吸取新觀念，採用新方法，繼續不斷地改進即是科學的經營管理。

㈤訓練在職人員　任何組織要能綿綿延續，必然是一個有機體。有機體是靠健全的血液循環來維持其綿綿延續的生命。同樣地，圖書館都是有機體，兒童圖書館也不能

例外，它們都需要健全的血液來延續其生命。訓練在職人員是圖書館經營管理的一個重要環節，能否做到這點，短期來講，會影響到從業人員的素質，間接地也反應於圖書館的服務品質，亦卽圖書館經營管理的品質。長期來講，此種情況的存在當然會嚴重的損害到圖書館的基礎。總之，訓練在職人員是一個繼續不斷的過程，不論是爲了提高服務品質，或爲了訓練及培植合格的接棒人，在職訓練是圖書館經營管理中不可或缺的工具。

貳　實際技術問題

下面爰就有關經營管理兒童圖書館較重要的幾個實際技術問題加以探討。

㈠工作手册　圖書館應具備一關於其各種業務項目的完整工作手册，作爲該機構經營管理的依據，執行工作的藍本。兒圖館員爲兒童室之主管，對於手册內有關兒童服務部份之規定，除應參與擬定、提供意見外，必要時亦可請求作適當的修正，俾利該室之經營管理。美國布魯克林公共圖書館爲一組織龐大的機構，有分館五十八所，其業務工作手册便是上千頁之大型「參考書」（註三），爲全體工作人員處理日常業務時奉爲經典的。其內容包括：圖書館之目的、政策、人事規則以及與公衆有關之規則，舉凡各部門工作程序、方法與各種圖表規格，事無大小均列

舉其內。每位工作人員對某項業務之處理如有疑問，都會求助於該手冊，久而久之，工作人員便會深徹瞭解圖書館對其個人的工作要求，而努力去達到所要求的工作標準。因而，工作手冊的制度，爲達到圖書館作業精確、完整一致的經營管理的基礎。國內大小公共圖書館皆備有其「簡介」，惟部分仍欠一有系統、而又詳盡的工作手冊。台北市立圖書館編印之「圖書館工作手冊」（註四），所舉凡例，皆以台北市立圖書館爲中心，如能擴充內容，供全省各縣、市鄉鎮圖書館及文化中心參考，實有助於各圖書館作業精確和完整一致，也可爲將來公共圖書館間合作及自動化作業奠定一基礎。

㈡申請借書證之手續　爲符合公共圖書館設立之意旨，成人及兒童均應享有自由出入兒童室之權利，實無憑閱覽證進館閱覽限制之必要。而申請借書證之手續亦應簡化、方便，凡事均以建立服務大衆的公共形象爲要務。國中以下兒童申請借書證時，須先經家長或監護人許可，並於證上簽名，一方面有助於圖書之歸還，一方面也多少使家長或監護人參與及瞭解兒童圖書館的活動及推廣。登記時，如將兒童就讀學校及班級記下，更能便利圖書館與學校間的聯繫。至於其他如登記時收取保證金、押金，要求具保或出示家長身份證等均爲極不合理之手續，與推廣公共圖書館的旨意相悖。國內公共圖書館之閱覽及外借圖書規則，

普遍地過份嚴厲，主要可能係種因於國內業者一向視圖書資料爲「財產」而非「文化消耗品」之錯誤觀念（註五），忽略了「便利讀者」及「提供服務」。美國公共圖書館均無閱覽證之規定，而申請借書證之手續也極爲簡單，提出任何家長之身份證明，如房租收據，電費收據或本人成績單卽可。有的圖書館（如紐約市立公共圖書館），則祗要在電話簿上列有名字及地址卽可。一般而言，歐美國家公共圖書館要求國中以下兒童之父母或監護人在借書證上簽名，其本意乃在保護幼小讀者而非旨在保護圖書館的「財產」。

㈢開放時間　國內一般公共圖書館開放時間平均每週約爲七十二小時（註六），較國外一般公共圖書館開放時間長多了（註七）。人手不足而開放時間又過長的情況下，必然導致服務效率的降低。兒童室的利用者以學校兒童爲主，故開放時間應以配合其上課、作息時間爲原則。但中午下班時間似也有開放之必要，以便於上班之父母利用圖書館。而兒圖館員亦應盡量利用白天上課時間邀請附近團體或學校班級集體式利用圖書館，以免荒廢過多工作時間（註八）。

㈣外借圖書册數及外借期限　外借圖書册數及期限應配合該圖書館之館藏及讀者利用圖書情形而定。國內兒童圖書館有祗准館內閱讀者（如部分鄉鎮圖書館）；有限借

一或二本，而借期僅一、二週者。國內此類情形皆有欠理
想。美國公共圖書館常以外流量數字驚人自豪，該等數字
不僅是圖書館發揮社會教育的具體績效成果，且是增加人
員及經費預算的依據。以紐約市立布魯克林公共圖書館爲
例，成人每次可借二十件（包括非書資料不得超過兩件）
兒童每次可借十件（包括非書資料不得超過兩件），借期
一律爲三至四週，如無其他讀者預約（ *reserve* ）該書，
則可請求續借一次。總而言之，公共圖書館的經營管理中，
借書及閱覽規則必須力求簡單及便利讀者。否則，便是與
公共圖書館的旨意相悖，與現代化公共圖書館的發展趨勢
背道而馳。訂定各種規則「保護」圖書館的圖書資料，致
使大好的圖書資料無人利用，假以時日，豈不成爲廢紙?
誠然，現代的圖書館亟需及早脫離「藏書樓」的階段，而
現代的圖書館員亦不應僅是圖書資料的看守者（ 註九 ）。

　㈤開架式抑或閉架式　在圖書館經營管理中，採開架
式或閉架式迭經爭論。美國兒童圖書館爲便利小讀者查取
圖書資料，已普遍採取開架式。其他西方國家雖亦逐漸接
受此種觀念，但實際上並未普及。尤其有些歐洲國家受到
傳統觀念的束縛，認爲維護館藏較服務讀者更爲重要（ 註
十 ）。目前，我國兒童圖書館界，也有一部份業者熱衷於
這個觀點。但是實務上，採開架式或閉架式確實關係兒童
圖書館的經營管理甚鉅。

　　開架式的確符合兒童圖書館便利服務小讀者的本衷。不過，由於採開架式，圖書損耗量必然會相對增加。這種損耗通常是因為(1)讀者利用圖書資料的機會增多；(2)讀者易於尋求檢取圖書資料，致外流數量增加；(3)每冊圖書（或每件資料）被利用的次數增加。因此，這種損耗是圖書館正常業務範圍內之損耗，不能謂之為不當。正如一部生產過程中使用的機器，其因生產作業而遭致的損耗（即折舊）亦屬正常，而且是不可避免的。

　　閉架式是傳統性的維護館藏及減少損耗的一種安排。在某種特定的圖書館，由於其館藏性質的特殊，當然有採閉架式之必要。閉架式是否有其存在之價值，還是需視其存在的時間與空間而定。閉架式的確可以達成維護館藏及減少損耗的目的，但是，它不是沒有代價的。閉架式雖節省了圖書可能發生損耗的費用，惟因其需用人力較多，人事費用支出當然會相對提高。

　　總之，開架式也好，閉架式也好，各有其利弊，應採何種方式較為恰當，還得視各圖書館之性質而定。就兒童圖書館而言，應以採開架式為妥。開架式的確符合兒童圖書館便利服務小讀者的本衷。兒童圖書館的館藏須要經由流通，方能發揮其功能，此意味著兒童圖書館功能發揮的具體事實便是館藏外流量的劇增。在這種情形下，閉架式顯然是不適合兒童圖書館採用，採用閉架式不僅會抑制兒

童圖書館功能的發揮，在極端的情況下，亦能改變兒童圖書館的服務本質。

㈥罰款問題　兒童借書不按時歸還是否應予以罰款？此乃一頗多爭論之問題。主張罰款者認爲罰款可以警告逾期者以免再犯，但不必比照成人罰款之數額。因兒童年幼，較易造成疏忽，且亦可避免家長因有過重負擔，而禁止子女繼續利用圖書館之可能。紐約市布魯克林公共圖書館爲了鼓勵比較貧窮地區之居民踴躍利用圖書館，曾試行借書過期不罰款之措施，數月後，該館（一分館）館藏幾乎一空，亦曾造成莫大的困擾。故罰款似無法予以全面廢止，但在特殊情況下，兒圖館員或圖書館主任應有權給予「減」或「免」罰款之決定。同時在罰款情形過分嚴重地區，必須加強讀者利用圖書館之指導服務，以改善逾期情形。

附　註

註　一：Robert D. Stueart & John Taylor Eastlick, *Library Management*, 2nd ed. (Littleton, Colo. : Libraries Unlimited, Inc., 1981) .

註　二：徐道鄰, 行爲科學概論 (香港：友聯出版社, 1960)。

註　三：布魯克林公共圖書館工作手冊 (Brooklyn Public Library

Procedure Manual ）為上千頁（活頁）之鉅著，供該館
各部門隨時修正、更改以配合作業之方便及提高工作之效率。

註　四：台北市立圖書館編印，台北市立圖書館工作手冊（台北：該館
印行，民國七八年）。

註　五：鄭雪玖，「中美兒童圖書館之比較」，書府（民國七十年四
月）：頁3-12。

註　六：馬少娟，「從我國公共圖書館現況調查與比較探求今後發展
之道」，教育資料科學月刊第九卷第一期（民國六五年一
月）：頁30。

註　七：Brooklyn Public Library, 81st *Annual Report*
（New York : Brooklyn Public Library, 1978—
79）.

註　八：部分兒童室上課時間非常清靜，行政人員常認為浪費了工作
時間，而兒圖館員亦沒有主動利用此段時間作活動或其他工
作。

註　九：Melvil Dewey, "The Profession", *The American
Library Journal*, no. 1（September 30, 1876
）: p.5-6.

註　十：高禩憙譯，「研究圖書館的開架式與閉架式（上）（下）」，
教育資料科學月刊第十一卷第二期，第三期（民國六六年四、
五月）：頁21-23；頁32-34。

第七章　結語—展望

　　國際聞名的企業管理學者彼得杜魯克（*Peter F.*
Drucker）於一九七九年曾提出一個「智識經濟」(*Know-*
ledge Economy） 的名詞，聲稱在美國經濟結構中，大
約半數美元支出是花在與獲取新觀念和資料有關的用途，
智識已顯然成爲最主要的生產因素（*Factor of Produc-*
tion）（註一）。他的這個看法，雖僅僅是對目前美國國
內經濟現實的一個認定，但卻給予我們自己一個日後社會
可能發展的遠景。近年來，國內圖書館學界及業者竭盡心
力採取的各種措施及改進，顯然是準備迎接這個將來臨的
新挑戰。在這個大環境裡，國內兒童圖書館的配合發展，
當然也是意料中的事。

　　醫學上的統計常常顯示，一個國家由未開發國家步入開發中國家的行列時，國民健康也會跟著改變。幼兒死亡率降低，成年人壽命普遍增長，而成年人因血管或循環器官病原死亡的人數及比率也必然上升。不可諱言的，這些都是由於經濟轉型帶來了繁榮，提高了生活水準所致。其實，經濟現實改變的影響所及，又何止於此呢？國民生活的衣、食、住、行各方面有了顯著的改善，兒童切身的福利問題也跟著受到大家的重視。近年來，兒童文化事業的蓬勃發展，兒童圖書館的陸續建立，各基金會的各種兒童文化活動，中央及地方政府與學術機構聯合主辦的有關兒童圖書館研討會……等等都在印證這個大趨勢。

　　自七十年十二月底我國台灣地區人口結構來看，兒童圖書館的服務對象包括學前兒童、國民小學及國民中學學齡兒童共約四百餘萬人（註二），約佔台灣地區一千八百餘萬總人口的百分之二二。若照七十年底人口出生率維持在千分之二二·九六來看，這個年齡範圍的人數絕對會繼續增長的。最近，政府為了重視人口問題對我國經濟發展的不良影響，已在積極加強人口政策之推行及宣導，以期於民國七十八年底達到台灣地區人口自然增加率遞減至千分之十二·五的目標（註三）。如以政府根據人口政策擬定的這個目標來分析，截至民國七十八年出生率雖年年在相對遞減，但兒童的人數，實質上，仍然在繼續增長中，

祇是增長得緩慢點。

綜上所述，我們瞭解加強發展我國的圖書館事業已是當前文化建設的一大要務，而重點推動兒童圖書館之發展，以因應這個安和樂利的社會需要，更是一個刻不容緩的課題。

推動兒童圖書館的發展是一個輻輳過程（ *convergence process* ）。它的意義是推動這發展需要多方面同時朝著同一個目標努力的過程。推動兒童圖書館的發展，需要各級政府的積極參與，學校、家長、出版事業、圖書館業者、社會公益機構等多方面的相互配合，同時朝著一個目標努力，方能有成：

㈠各級政府的積極參與 「參與」是一個概括的名詞，包括各種不同方式、不同程度的「參與」。大的可以由文建會或教育部提鉅額預算作為各社區建築兒童圖書館館舍用，或購買圖書資料，或訓練或聘用專業人員用。小的甚至可以贊助各種改進兒童圖書館的座談會方式參與。各級政府是自中央政府到鄉鎮單位，均可依其財力及其他客觀條件，作適當且符合需要的參與。

㈡學校 推動兒童圖書館的發展，不能忽視學校扮演的角色。學校依其階梯及性質可提供許多實質的貢獻。首先，大學、專科等設有圖書館系科者，可以加強、改進有關兒童圖書館學的課程及訓練來作貢獻。而在師範專科學

校課程中，應將「兒童圖書館」列爲必修課目，讓未來的
國小教師瞭解它的重要性，日後在教學的崗位上會積極的
推動它。兒童圖書館的重要紮根點是在國民小學。這個時
期裡，兒童養成的研究方法及態度和良好閱讀習慣，將會
使他終身受益不淺的。國民小學應有輔導小學生做研究、
找資料的教學；且在課程的安排，應儘量設法給予小學生
們自由閱讀的時間。

　　㈢家長　對兒童影響力最深厚的是家長和老師。兒童
圖書館的基本讀者主要是透過他們轉介來的。家長可以依
父母的「權威」直接影響兒童作閱讀的「抉擇」。間接地，
家長們可以優良的家庭閱讀環境影響兒童的閱讀興趣；或
者於週末休閒時帶孩子們去看圖書展覽、逛書店等都是。
家長更可鼓勵並協助兒童們，在學校圖書館無法滿足他們
的課外閱讀的需求時，組織圖書俱樂部。在每人一書的經
濟條件下，不僅滿足了兒童的閱讀需要，也同時培植了不
少兒童圖書館的基本讀者。如果是經濟情況好的家長，他
也可以捐助方式充實學校圖書館、室及公共圖書館兒童室
的館藏。總言之，出錢也好，出力也好，家長可以許多不
同的方式幫助推動兒童圖書館的發展。

　　㈣出版界　兒童圖書館的館藏是推動其發展過程中極
重要的一環。館藏的質與量也賴出版界的努力及貢獻。首
先，兒童書籍出版量直接影響到兒童圖書館的發展。兒童

出版事業不發達時，最明顯的現象便是創作性的優良兒童讀物出版量小；另一個現象便是品質低劣的翻譯作品充斥市場。前面的現象無形地侷限了兒童圖書館的正常發展。沒有足夠高品質的館藏，任何圖書館都不可能正常發展的。同樣的，後面的現象也會對兒童圖書館的發展產生不良的影響。從這兩個現象看，我們可以肯定的講，我們的兒童圖書出版界確實沒有盡到他們的職責。這兩個現象是相關連且互為因果的。翻譯的兒童讀物充斥市場表示兒童讀物的需求是存在的，祇是出版業者趨近利而以翻譯的讀物應付兒童。因此，兒童圖書出版界業者確須在提高國內兒童讀物的質和量方面急起直追，以加速促進我國兒童圖書館的發展。

㈤圖書館業者　推動兒童圖書館的發展是兒童圖書館業者當仁不讓的職責。他們可以從專業人員服務層面的擴張及服務品質的提高等方面作具體的貢獻。圖書館界的最高專業組織（ *professional organization* ）中國圖書館學會更應是這推動的主催者。它可以利用利益團體（*interest group* ）的地位，促請政府主管機關透過立法或行政命令方式，建立有關兒童圖書館的基本制度及標準。並且與政府協商出一個合理的打通人事瓶頸的方案，使兒童圖書館的專業人員們在專業崗位上充份發揮他們的功能。

㈥社會公益機構，近年來，我國社會裡的公益機構對

推動兒童圖書館的發展作了不少具體的貢獻。它們本質上
與前述的各級政府、出版界、利益團體等不同，它們沒有
導引的力量。因爲限於財力、人力，它們的貢獻多是重點
性的。它們可以主辦兒童文學獎、座談會等方式促進推動
兒童圖書館的發展。

　　經過上面簡略敍述的輻輳過程，多方面同時向一個目
標行進。推動兒童圖書館的發展之順利達成，將不會是一
個奢望。並且透過一連串的漣漪效果（ *rippling effect*)，
不僅我國的兒童圖書館事業能確實建立，整個國內的圖書
館事業、出版事業、國民的生活品質等等都會有顯著的提
昇。

附　　註

註　一：Peter F. Drucker, *The Age of Discontinuity* :
　　　　Guidance to Our Changing Society (New York:
　　　　Harper and Row, 1979.

註　二：台灣省政府新聞處編，中華民國台灣省基本省政資料（台中：
　　　　台灣省政府，民國七一年），頁 16 。

註　三：中華民國年鑑社編，中華民國年鑑（台北：正中書局，民國
　　　　七一年），頁 404 。

參考書目

中文部份

書　籍：

①王省吾　圖書館事業論。台北：華夏文化出版社，民國
　　52年。

②王振鵠　兒童圖書館。台北：台灣省教育廳，民國 67
　　年。

③中央圖書館台灣分館編　全國兒童圖書目錄。台北：編
　　者印行，民國 66年。

④中國圖書館學會編　中華民國圖書館基本圖書選目。十
　　册。台北：編者印行，民國 71年。

⑤中國圖書館學會出版委員會編　圖書館學。台北：學生
　　書局，民國 63年。

⑥日本建築學會編　建築設計資料集成 4。台北：台隆書
　　店，民國 68年。

⑦台灣省立台中圖書館編印　圖書館實務。台中：該館印
　　行，民國 64年。

⑧余淑姬　三十年來我國兒童讀物出版量的分析。台北：

啓元文化事業股份有限公司，民國70年。

⑨李文清　小學圖書館之經營與利用。台北市立女子師範專科學校教學研究叢書之六。台北：台北市立女子師範專科學校，民國66年。

⑩李志鍾　美國圖書館業務。台北：遠東圖書公司，民國61年。

⑪李政隆譯　建築設計實例集：圖書館。台北：大佳出版社，民國71年。

⑫李德竹編　圖書館暨資訊科學常用字彙。新竹：楓城出版社，民國70年。

⑬吳　鼎　兒童文學研究。台北：遠流出版社，民國69年。

⑭徐道鄰　行爲科學概論。香港：友聯出版社，1960年。

⑮何　燊　視聽教育輔助工具的製作與應用。台北：台灣書店，民國69年5版。

⑯林美和　小學圖書館的管理與利用。國民小學輔導叢書之二十三。台北：台北市政府教育局，民國70年。

⑰高禩熹譯　圖書館事業導論。台北：文史哲出版社，民國69年。

⑱高錦雪　兒童文學與兒童圖書館。台北：學藝出版社，民國69年。

⑲馬景賢　兒童文學論著索引。台北：書評書目出版社，

民國 64 年。

⑳許義宗　兒童閱讀研究。台北市立女子師範專科學校教學研究之五。台北：台北市立女子師範專科學校，民國 67 年。

㉑教育部　國民小學設備標準。台北：正中書局，民國70年。

㉒張素碧　兒童圖書館館藏之研究。台北：文化大學史學研究所，民國 66 年。

㉓莊芳榮譯　圖書館的專業與非專業職責。台北：學生書局，民國 69 年。

㉔葛　琳　兒童文學－－創作與欣賞。台北：康橋出版事業公司，民國 69 年。

㉕國立中央圖書館　中華民國圖書館年鑑。台北：編者印行，民國 70 年。

㉖國立中央圖書館　國立中央圖書館義大利波隆那一九八二年兒童圖書展覽目錄。台北：編者印行，民國 71 年。

㉗國立台灣大學圖書館學系　國立台灣大學圖書館學系成立廿週年紀念特刊。台北：編者印行，民國 70 年。

㉘劉淑蓉譯　公共圖書館標準。台北：學生書局，民國 66 年。

㉙盧荷生　圖書館行政。台北：學生書局，民國 71 年。

㉚藍乾章　圖書館行政。台北：五南圖書出版公司，民國
　　71年。

㉛藍乾章　圖書館經營法。台北：書藝書局，民國67年。

期　刊：

①王振鵠、郭麗玲　「圖書館教育」。中華民國年鑑（民
　　國71年12月）：頁252～261。

②吳玉芬　「兒童也需要圖書館嗎?」。教師之友第二十一
　　卷一～二期（民國69年1月）：頁12-13。

③何光國　「談談我國公共圖書館」。中央日報。民國71
　　年12月1日。

④林武憲　「兒童讀物分類的小探討」。兒童圖書與教育
　　雜誌第一卷第一期（民國70年7月）：頁12-13。

⑤周麗娜　「如何建立兒童知識寶庫」。教師之友第二十
　　一卷一～二期（民國69年1月）：頁9-10。

⑥高禩熹譯　「研究圖書館的開架式與閉架式(上)(下)」。
　　教育資料科學月刊第十一卷第二期，第三期（民國66
　　年4，5月）：頁21-23,32-34。

⑦馬少娟　「從我國公共圖書館現況調查與比較探求今後
　　發展之道」。教育資料科學月刊第九卷第一期（民國
　　65年1月）：頁30。

⑧陳海弘　「兒童圖書館對兒童該有的服務」。台灣教育

輔導月刊第三十一卷十二期（民國70年）：頁25-31。

⑨陳陵譯　「兒童需要良好的讀物」（ *Small fry need good books by M. Elizabeth Leonard* ）。圖書館學報第九期（民國57年）：頁491-492。

⑩張之瑛、黃素華、陳淑媛　「快樂服務、服務快樂——快樂兒童中心圖書館服務報告」。圖書館學刊第八期（民國68年7月1日）：頁21-47。

⑪張鼎鍾　「兒童圖書館的發展與文化建設」。師大社教系列第七期（民國68年6月）：頁87-98。

⑫鄭雪玫　「中美兒童圖書館之比較」。書府第三期（民國70年4月）：頁9-12。

⑬鄭雪玫　「我是兒童圖書館員」。國語日報家庭版。民國68年12月23日。

⑭鄭雪玫　「兒童圖書館員是什麼？」。兒童圖書與教育雜誌第一卷第六期（民國70年12月）：頁6-8。本期爲兒童圖書館專號。

⑮鄭雪玫　「孩子們的閱讀習慣」。國語日報家庭版。民國69年9月16日。

⑯鄭雪玫　「美國公共圖書館的兒童服務」。中國圖書館學會會報第三十二期（民國69年12月7日）：頁37-42。

⑰鄭雪玫 「美國的兒童圖書館」。中央日報（讀書第九一期）。民國69年1月30日。

⑱鄭雪玫 「美國公共圖書館的學前服務」。學前教育月刊第三卷八期（民國69年）：頁14。

⑲潘華棟 「圖書館工作是否專業論」。教育資料科學月刊第十八卷第三期：頁69-75。

⑳蔣復璁 「兒童圖書館的意義」。中央日報。民國68年4月16日。

㉑華昌琳 「晴空裡的風箏——談兒童文學作品」。中國時報。民國72年4月5日。

英文部份

書　籍：

American library Association. *Standards for Children's Service in Public Libraries*. Chicago：ALA, 1964.

Baskin, Barbara Holland. *The Special Child in the Library*. Chicago : ALA, 1976.

Bonk, Wallace John & Magrill, Rose Mary. *Building Library Collections*. Metuchen, N. Y. : The

Scarecrow Press, 1979.

Broderick, Dorothy M. *Library Work With Children*. New York : H. W. Wilson, 1977.

Burke, J. Gordon, ed. *Children's Library Service : School or Public*? Metuchen, N. Y.: The Scarecrow Press, Inc. , 1974.

Carlsen, G. Robert. *Books and the Teenage Reader: A Guide for Teachers, Librarians and Parents*. New York : Harper and Row, 1971.

Cianciolo, Patricia Jean. *Picture Books for Children*. Chicago : ALA, 1981.

Dyer, Esther R. *Cooperation in Library Service to Children*. Metuchen, N. Y. : The Scarecrow Press, 1978.

Fleet, Anne. *Children's Libraries*. London : Andre Deutsch, 1973.

Foster, Jean, ed. *Reader in Children's Librarianship*. Englewood : Information Handling Services/PDS Hard Copy Publishing, 1979.

Gates, Jean Key. *Introduction to Librarianship*, 2 nd ed, New York : McGraw-Hill, 1976.

Gay, W. S., ed. *Recent Trends in Reading*. Chicago,

Ill.: University of Chicago Press, 1939.

Getzels, Jacob W. "Psychological Aspects." *Developing Permanent Interest in Reading*. Chicago, Ill. : Univ. of Chicago Press, 1956.

Gross, Elizabeth H. *Public Library Service to Children*. Dobbs Ferry: Oceana, 1967.

Haines, H. E. *Living with Books*, 2 nd ed. New York: Columbia Univ. Press, 1950.

Harrod, Leonard Montague. *Library Work with Children*. London : Andre Deutsch, 1969.

Hazard, Paul. *Books, Children and Men*. Boston : The Horn Book, 1960.

Helick, R. Martin & Watkins, Margaret T. *Elements of Preschool Playyards*. Swissvale, Pa. : Regent Graphic Services, 1973.

Hill, Janet. *Children Are People, the Library in the Community*. New York : Thomas Y. Crowell, 1974.

Huck, Charlotte S. *Children's Literature in the Elementary School*, 3 rd ed. New York : Holt, Rinehart & Winston, 1979.

Huus, Helen. " Interpreting Research in Children's Literature . " *Children, Books and Reading*. Ne-

wark, Del. : The International Reading Associa-
tion, 1964.

Kent, Allen. *Encyclopedia of Library and Information Science*, v. 4. New York : Marcel Deker, 1970.

Kihara Library Information Supplies and Equipment Catalogue. Japan:1980.

Lancaster, F. W. *The Measurement and Evaluation of Library Services*. 1977.

McColvin, Lionel R. *Public Library Services for Children.* Paris : UNESCO, 1957.

Martin, Lowell A. *Baltimore Reaches Out : Library Services to the Disadvantaged.* Baltrmore : Enoch Pratt Public Library, 1967.

Metcalf, Keyes D. " Furniture and Equipment :Sizes, Spacing and Arrangement." *Planning Academic and Research Library Buildings.* New York : McGraw-Hill, 1965.

Ray, Colin, ed. *Library Service to Children : An International Survey*, v. 12. Hamden : Shoe String Press, 1978.

Ray, Sheila G. *Children's Librarianship.* London :

Clive Bingley, 1979.

Richardson, Selma K., ed. *Children's Services of Public Libraries*. Illinois : Univ. of Illinois Graduate School of Library and Information Science, 1978.

Rochell, Carlton, rev. ed. *Wheeler and Goldhor's Practical Administration of Public Libraries*. New York : Harper and Row, 1981.

Russell, David. *Children Learn to Read*. Boston : Ginn, 1961.

Scandinavian Library Center. *Library Service to Children*. Copenhagen : The Center, 1970.

Scott, Dorothea Hayward. *Chinese Popular Literature and the Child*. Chicago : ALA, 1980.

Shera, Jesse H. *Introduction to Library Science*. Littleton, Colorado : Libraries Unlimited, Inc., 1976.

Smith, Dora V. " Current Issues Relating to Development of Reading Interests and Tastes." *Recent Trends in Reading*. Chicago, Ill. : Univ. of Chicago Press, 1939.

Stueart, Robert D. & Eastlick, John Taylor. *Library*

Management, 2nd ed. Littleton, Colo. : Libraries Unlimited, Inc., 1981.

Townsend, John Rowe. *Written for Children : An Outline of English-language Children's Literature.* Boston : The Horn Book Inc., 1974.

期 刊：

Baker, Augusta & Ellin, Greene. " Storytelling : preparation and presentation ". *School Library Journal* (*March*, 1978), p.93—96.

Benolt, Rolein Moore. " Practical speaking : abracadabra : reading casts a spell. " *School Library Journal* (September, 1981), p.47.

Cappa, Dan. " Sources of appeal in kindergarten books. " *Elementary English.* v.34 (April, 1957) : p.259.

Cherry, Susan Spaeth. " Public library branches in schools : the Kansas City experience. " *American Libraries* (January, 1982) , p.24—28.

Dequin, Henry C. " Services and materials for disabled children." *Illinois Libraries.* v. 63, no. 7 . p.546-553.

Dewey, Melvel. " The Profession. " *The American Library Journal*. no. 1 (September 30, 1876) : p. 5 — 6.

Dresang , Eliza T. " Philosophy statement : library services for the gifted and talented. " *Top of the News* (Summer, 1982), p. 301 — 302.

Dziura, Walter T. " Media center asthetics. " *School Media Quarterly* (Spring, 1974), p.291.

Fasick, A.M. " Research and measurement in library service to children. " *International Library Review* (January, 1980) , p.95 — 104.

Habley, Katherine. " The many uses of color in library rooms serving children. " *Illinois Libraries.* v. 60, no. 10 (December, 1978) : p. 891 — 895.

Hall, Richard B. " The library space utilization methodology. " *Library Journal* (December 1, 1978) , p. 2379 — 83.

Hansel, P. " One public library administrator's views on children's service. " *North Carolina Libraries* (Summer, 1980) , p. 27 — 29.

Hartwell, David G. " The golden age of science

fiction is 12. " *Top of the News* (Fall, 1982),
p.39 — 53.

Hektoen, F. H., ed. " Researching children's service
in public libraries. " *School Library Journal*
(April, 1980) , p. 29 — 31.

Hofmann, Alice. " Class visit short cuts. " *School
Library Journal* (December, 1982) , p. 32.

Hunter, Lynn S. " Piscataway's puppet program. "
School Library Journal (May, 1977), p.32
— 34.

McColvin, Lionel R. " Buildings and equipment. "
Public Library Services for Children (UNESCO,
1957) , p.44.

Markorosky, Juliet Kellogy. " Story time for tod-
dlers. " *School Library Journal* (May, 1977),
p.28 — 31.

Oldham, Brian E. " Selection—the greatest res-
ponsibility. " *School Librarian*. v. 29, no. 1,
p.6 — 11.

Pellowski, Aune. " Pictures used with storytelling."
School Library Journal (March, 1978) ,
p. 97 — 101.

" Quiet vs. noisy patrons : erecting noise barriers."
Library Journal (Jan. 15, 1979) , p. 145
—146.

Segel, Elizabeth. " Choices for girls, for boys keep-
ing options open. " School Library Journal
(March, 1982) , p.10.

Shontz, M. L. " Selected research related to chil-
dren's and young adult services's in public libra-
ries." Top of News (Winter, 1982) , p. 125
—142. Disscussion (Spring, 1982), p.204
—206.

Thomas,, James L. " Selection periodicals for chil-
dren and young adults. " School Library Jour-
nal (January, 1983) , p.35.

White, Herbert. " Library education : a strategy for
the future. " Wilson Library Bulletin (Oct.,
1981) , p.104.

Willard, Nancy. " The well tempted falsehood : the
art of storytelling. " Top of the News (Fall,
1982) , p.104 — 112.

Wilson, P. C. "Children's services in a time of
change. " School Library Journal (February,

1979) , p.23－26.

附錄一

(一) 國民小學圖書設備標準

(民國七十年公佈)

壹、原　則

一、國民小學不論其規模大小，班級多寡，均應設置圖書
　室或圖書館。

二、圖書資料之選擇、整理及利用，應以配合教學活動，
　有助學生之身心發展，增長其生活之必需知識與技能
　爲原則。

三、各校應由校長指派人員組織圖書館指導委員會，辦理
　圖書之選擇，經費之籌措及館務之推展與督促事宜。

四、各校應由校長指派「圖書教師」一人處理館務。班級
　較多之學校，酌增「圖書教師」若干人，協同處理館
　務。

五、各校圖書館應有固定之經費，並以專款專用爲原則，
　定期購置圖書資料，並應以兒童讀物爲優先購置。

六、力行圖書館之動態化經營，培養學童養成經常利用圖
　書館的興趣與習慣，使其遇有問題能充分利用圖書館

資料尋求解答。並以圖書館的各項資料作爲教學參考資料，使圖書館成爲終生受益的學習中心。

貳、設　　備

一、圖書資料

1. 圖書數量：每一學童原則上以十冊以上爲標準。規模較小，班級較少（如六班以下），每人以二十冊爲單位。基本圖書應有六○○○冊。
2. 雜誌：至少訂購五種以上。交換或贈送雜誌不包括在內。
3. 報紙：按班級數多寡訂閱。至少二種以上。
4. 四十九班以上之學校，應參照本標準及實際需要，依比例增加其數量。

階段	(一)	(二)	(三)	(四)	(五)
班級數	6班以下	7~12班	13~24班	25~36班	37~48班
人數	300人以下	301人~600人	601人~1200人	1201人~1800人	1801人~2400人
圖書數量　基本冊數	6000冊	6000冊	6000冊	6000冊	6000冊
增加冊數		3冊×增加人數=900冊	900冊	900冊	900冊
增加冊數			3冊×增加人數=1800冊	1800冊	1800冊
增加冊數				3冊×增加人數=1800冊	1800冊
增加冊數					3冊×增加人數=1800冊
計	6000冊	6000冊~6900冊	6900冊~8700冊	8700冊~10500冊	10500冊~12300冊
雜誌	5種	5種	10種	10種	10種
報紙	2種	3種	4種	5種	5種
備註					

二、館　舍

按學校規模大小、班級多寡，設置圖書室或圖書館。

階段	班　級	人　數	館室內容或隔間	座　位	備　　注
(一)	6 班以下	300人以下	以一間半教室當作圖書室	50人	(1)圖書室應有閱覽室、工作室之佈置。 (2)工作室係爲整理編目圖書所需，兼作辦公室用。
(二)	7～12班	301人～600人	以二間教室當作圖書室	50人	同　　上
(三)	13～24班	601人～1200人	以教室二間當作圖書室或獨立設館，內有： (1)閱覽室 (2)工作室 (3)書庫 (4)視聽教室 (5)集會室	50人	20班以上之學校應獨立設館
(四)	25～36班	1201人～1800人	獨立設館，內有： (1)閱覽室 (2)工作室 (3)書庫 (4)視聽教室 (5)集會室及研究室	(1)閱覽室座位八十人 (2)視聽教室座位五十人	(1)獨立設館 (2)視聽教室可兼作活動室使用。
(五)	37～48班	1801人～2400人	同　　上	(1)閱覽室座位一〇〇人 (2)視聽教室座位五十人	同　　上

三、器具設備

編號	名　　　稱	單位	數量 6班以下	7～12班	13～24班	25～36班	37～48班	備　　注
1	書　　　架	座	20	23	29	35	41	每架容書以三百册計
2	閱　覽　桌	張	9	9	9	14	17	每桌坐六人計，如每桌坐四人者，則桌數酌加。
3	閱　覽　椅	把	50	50	50	80	100	
4	梯　形　桌	張				50	50	設有視聽教室可兼作活動室者用
5	座　　　椅	把				50	50	配合梯形桌使用之椅子。
6	目錄（櫃）屜	屜	18	21	27	33	39	每屜可容卡片一千～一千二百張
7	出　納　檯	座			1	1	1	未獨立設館者以辦公桌代用
8	雜　誌　架	座	1	1	1	1	1	每架可陳列雜誌二十種
9	報　　　架	座	1	1	1	2	2	每架可陳列報紙十份，今天與昨天報紙分別同時陳列
10	報　　　夾	把	4	6	8	10	10	每個報夾陳列一份報紙。
11	運　書　車	輛			1	1	1	
12	揭　示　板	塊	1	1	1	1	1	
13	活　動　黑　板	塊	1	1	1	1	1	
14	資　料　櫃	座	1	1	1	1	2	
15	字　典　檯	座			1	1	2	
16	裝　訂　工　具	套	1	1	1	1	1	訂書機、打洞機、切紙刀等。
17	修　補　工　具	套	1	1	1	1	1	剪刀、強力膠、膠帶、卡紙…等。
18	工　作　桌　椅	套			1	1	1	
19	辦　公　桌　椅	套	1	1	2	2	3	
20	輿　圖　架	座			1	1	1	
21	布　告　牌	個	1	1	1	1	1	
22	展示櫥或展覽牌	個			1	1	1	
23	排　片　盤	個			1	1	1	
24	小　册　子　盒	個			5	10	15	
25	出　納　盒	個	6	6	12	12	12	
26	鋼　質　書　檔	個	240	276	348	420	492	
27	取　書　短　梯	座	2	2	3	3	4	

四、人員編制與組織

1. 圖書教師：⑴六班以下指派一位。⑵七～十二班一位。⑶十三～二十四班二位。⑷二十五～三十六班二位。⑸三十七～四十八班三位。

2. 組織圖書館指導委員會：除校長、各處部主任、圖書教師為當然委員之外，各年級或各科老師各推派一位為委員，共同組織圖書館指導委員會。

3. 義工：徵求學童當小小圖書館員，教導他們擔任部分工作。

（註：圖書教師應受圖書館專業訓練）

叁、說　　明

一、圖書資料

㈠種類

1. 國民小學圖書館所藏資料，除圖書外，並應置備雜誌、報紙、小冊子、圖片以及其他視聽教育設備（參閱：視聽教育設備標準）等有助於教學研究之資料。

2. 館藏之組成應以兒童讀物及基本參考書為中心，基本參考書分為學生應用與教師應用二部分。參考書如字

典、辭典、百科全書、年鑑、手冊、指南、書目、索
引、地圖及其他工具書，應盡量購備。

㈡選擇

1.圖書資料之選擇，以「適用、活用」爲原則，必須配
合敎學需要，學生身心之發展，以及正當習慣與興趣
之養成。

2.圖書資料之選擇應尊重各科敎師之意見，由圖書館指
導委員會辦理，以質量並重爲原則。

3.圖書資料之選擇須參考適當之圖書選目，各科門類務
求均衡發展（兒童用書、敎師用書、參考書、參考資
料按需要添購）。

4.館藏資料應時加檢查，凡內容陳舊，不合時宜，殘破
不全，無法修補者，均應剔除。

5.優良圖書（經各方認定者）應購備複本，以利借閱。

㈢數量

1.每一學童應有圖書平均册數，原則上以十册以上爲標
準，規模較小，班級較少之學校（如六班以下）以每
人二十册爲單位。

2.基本圖書應有六○○○册。

3.每年圖書增加量，最低限度每五人應增添新書一册。

4.班級數與藏書比例參見前表（見第二○三頁）。

5.各類圖書之購藏比例如後表：

大類 類號	類　　　別	百分比 （％）	備　　　　注
0	總　　　類	3	
1	哲學、宗教	2	哲學、宗教各占1％
2	教　　　育	5	
3	自 然 科 學	6	
4	應 用 科 學	4	
5	社 會 科 學	8	
6	史　　地	15	包括傳記、遊記
7	語　　　言	2	
8	文　　　學	20	包括小說
9	藝　　　能	10	工藝、藝術各占5％
10	兒 童 讀 物	25	小學一～三年級用

上表圖書之購藏比例僅係原則性供作參考，各校可依實際需要參考更訂之。

6.各館應訂閱之期刊，應配合各年級之需要及程度，至少應訂閱五種以上，期刊數與班級數比例參見前表。
（見第二〇三頁）

㈣整理及保管

1.所有入館之圖書資料應按適當之圖書分類表和編目規則加以分類編目，並力求全國統一。

2. 理想之圖書目錄應編製三種： (1)書名目錄(2)分類目錄(3)著者目錄。

3. 館藏目錄應隨時查核，以保持準確完整及良好之使用狀態。

4. 小冊子、剪貼資料及圖片等應隨時注意蒐集整理。

5. 館藏圖書應隨時整理，保持清潔；並注意防蛀、防潮、防火，有破損者應修補裝訂。

6. 所有圖書必須按照索書號碼排架。

(五)服務

1. 國民小學圖書館之服務對象爲本校師生及社區民衆。

2. 國民小學圖書館應配合教學需要，作爲學童課外求知活動之中心，除供應圖書辦理借閱外，應辦理下列活動：說故事、推介優良讀物、閱讀、討論、演講、展覽、辯論、查字辭典比賽、猜謎比賽、兒童實驗劇、認識圖書館活動、認識書活動，以及美術、音樂、唱片、電影欣賞等。

3. 新到圖書之書目應隨時公告並予以展示。

4. 圖書之管理，應盡可能採取開架式，節省人力，並便利學生閱覽。

5. 圖書館開放時間不得少於學校辦公時間，除配合上下課時間外，並斟酌在中午或放學後空檔時間開放，以利使用。

6.各校應排定各年級各班級借書及閱讀時間，使每一學生均有機會利用圖書館。社區民眾借書及閱覽時間視各校情形另訂之。

7.圖書館應利用學生來館閱讀時間，教導學生利用圖書及圖書館之常識。

8.圖書館爲便利教師及學生之需要，得在各班級設置班級書庫。

9.圖書館爲培養學生閱讀興趣，發展其閱讀能力，應與教師合作誘導學生閱讀。

10.國小圖書館應與當地公共圖書館及其他學校圖書館謀取密切合作。

11.圖書館應爲學生及社區民眾有關閱讀之諮詢服務機構。

12.圖書館應充分利用社會資源，收集鄉土教材及有關資料。

13.編印圖書館手冊（介紹圖書館概況及活動）。

二、館　舍

1.圖書室（未獨立設置圖書館者）至少應有存置圖書資料及供閱覽之場所。獨立設館之圖書館應設置閱覽室、書庫、工作室、視聽教室、集會室。

2.圖書館舍宜設於學校教學區、光線充足、環境安靜。

3.圖書館之建築設計應參酌學校行政主管、圖書館工作

人員及建築師之意見，以求配合業務之需要。

4. 圖書館內部盡量減少固定的隔間，採超級市場建築之精神來設計內部結構，以節省管理之人力，並便調整。

5. 閱覽室之面積，以每閱覽席占地二平方公尺為計算標準。

6. 工作室以十四～十九平方公尺為準。

7. 獨立設館內部之視聽教室，設計時應考慮及可兼作活動室使用，同時可容納五十人。

8. 如設有書庫，其容量應視藏書總數，歷年增加率及將來之發展計畫而定。其容量以一・四二立方公尺容書一百冊為準。書庫之標準高度為二・二五公尺。

9. 圖書館之建築應注意採光、通風、防潮、防火、隔音、安全等設備。

10. 館內之佈置，應以活潑、愉快為原則，不應過於嚴肅、呆板。

11. 閱覽室及其他各室之光度以三十呎燭為準。

12. 座位數（參見前表，見第二〇四頁）。如能力許可，在館內有一間可供容納同年級學生人數同時使用之視聽教室（兼作活動室）。

三、器　具

㈠書架

1. 書架以鋼製者最經久耐用，如爲木製者應用木質堅靭
不易蟲蛀者爲上。

2. 書架分單面及雙面兩種。書架格板，高低要能自由調
節。單面者可置於閱覽室，靠牆安放，供讀者自由取
閱書籍。雙面者係聯合兩架相背立而成，置於書庫，
爲典藏圖書之用。

3. 書架尺寸，閱覽室適用者：高一五〇公分～一八〇公
分，寬九〇公分，深度二〇公分（大本書及圖畫書爲
三〇公分）。書庫用者：高一八〇公分，寬九〇公分，
深度二〇～三〇公分。

4. 每架可分隔五～六層，每層間隔以二五公分爲準，惟
爲適應圖書之高低，可上下調節格板。格板厚度應爲
二～二·五公分。腳架高度爲十公分。

5. 書庫內書架每排間隔，以自甲架中心至乙架中心距離
一二二～一三七公分爲宜。

㈡閱覽桌椅

1. 閱覽桌椅以木質者爲宜，必要時也得用鐵板、鋼板者，
其標準尺寸如下：

(1)長方形閱覽桌：

桌高：六五公分（低年級用）～七〇公分（高年級
用）。

桌長：一五〇公分（可坐四人），一八〇公分（可

坐六人）。

(2)圓形閱覽桌：直徑一二〇公分～一五〇公分。

(3)椅高：三七・五公分～四二・五公分。

2.木料必先乾燥，木質優美，不易變形，桌面光滑堅固。

3.桌面油漆以無光漆爲宜，俾免光線反射。

4.閱覽桌椅應釘以橡皮墊脚，俾移動時不致發出聲音妨
　礙閱覽。

㈢梯形桌及座椅

1.梯形桌：

(1)桌高：六五公分（低年級用）～七〇公分（高年級
　用）。

(2)桌寬：內邊寬九〇公分，外邊寬六二公分。

(3)左右兩邊各長：五一公分。

(4)抽屜：高十五公分，寬五五公分，深三六公分。

2.座椅：椅高三七・五公分～四二・五公分。

㈣目錄櫃、屜

1.目錄櫃、屜木製者或鋼製者均可，惟必須符合規格，
　使用方便。

2.每櫃：直排抽屜數五行，橫排抽屜數三～十列。

3.目錄屜之內面容積：寬一三・五公分，長三八・五公
　分，兩側及後面高五公分，正面板高一〇・五公分。

4.目錄櫃中應裝置活動抽板，板厚二公分，抽出之長度

為三〇公分。

5.屜內裝活動三角形托板一塊，連於用以貫穿卡片之銅條，以便承托卡片，免向後倒。每屜以容納卡片一〇〇〇～一二〇〇張為度。

㈤出納檯

1.出納檯之一：供小型圖書館使用，桌旁帶有書架，供存放歸還圖書，桌有兩小抽屜供陳放卡片，下端大型抽屜可供陳放文件。

2.出納檯之二：本檯計分六個單元，可以拆散合併，因圖書館空間決定排列方式。中間用以存放出納卡片，其餘部分可供陳放歸還書籍及辦公用品。

　　每一單元：寬七五公分，深六四公分。

　　　　　　標準高九九公分，學校圖書館用高八一公分。

㈥雜誌架

1.規格：寬九二公分，深四二公分～高八九公分。

2.底架：木製或鋼製均可。

3.全架分成六層，每層可陳列雜誌四～五份。

㈦報架、報夾

1.A形報架高一五〇公分，寬七五公分，深三五公分。

2.報夾：報夾為木製，鋁製或鋼製長棒均可，連柄長八五公分，夾長六八公分。

㈧運書車

　1.兩種規格：

　　⑴車身連輪高九三公分，寬七六公分，深三六公分。

　　⑵車身連輪高九五公分，深四二公分。

　2.車底四輪，二只固定，只可前後轉動。另二只可四面轉動，如四只均可四面轉動，將不穩定，且推行時不易控制方向。

㈨揭示板

　1.揭示板可以軟木製成，鑲以木框或鋁板亦可。

　2.揭示板之尺寸：⑴六〇公分乘九〇公分⑵四五公分乘六〇公分⑶五〇公分乘九〇公分。

㈩活動黑板

　1.活動黑板規格：黑板部分，高九〇公分，寬一五〇公分。支架高一五〇～一八〇公分。

　2.精製考究的活動黑板，支架底部另加輪子，可自由推動，更爲方便。

　3.黑板前後二面皆可翻轉使用。

㈠資料櫃

　1.資料櫃以鐵製爲宜，木製亦可。每櫃有四屜即足應用。

　2.資料櫃之標準尺寸爲高一三二公分，寬四五公分，深六〇公分（四屜）。

　3.抽屜外有標籤夾及把手，抽屜內有活動隔板，防檔案

傾斜。

4.不論圖書館大小，均應備有資料櫃，以供保存圖片、
　小册子及報紙剪輯之需。

㈣字典檯

　1.字典檯規格有下列二種：

　　⑴前高一〇二公分，後高一一〇公分，寬六一公分，
　　　深三八公分。

　　⑵前高一〇四公分，後高一一〇公分，寬六一公分，
　　　深三六公分。

　2.旋轉字典托：平板面積：六一公分乘三七公分。平板
　　下有一基檯，與平板相連，但可自由旋轉。

㈤辦公桌

　1.規格：

　　⑴寬一五二公分，深七六公分，高七六公分。

　　⑵寬一八三公分，深七一公分，高七六公分。

　2.木製或鋼製均可，附有抽屜六～七個。

㈥輿圖架

　1.單張地圖保管架。

　2.單張輿圖、複製美術品與晒藍圖等貯存用之輿圖架。

　3.一般輿圖架規格：

　　⑴前高一〇〇公分，後高一一〇公分，寬七二公分，
　　　深六七公分。

(2)前高九八公分，後高一一〇公分，寬八四公分，深
五三公分。

㈭佈告牌

1.規格：一五〇公分（左右之寬）乘七五公分（上下之
長）。

2.佈告牌外加玻璃，可自由活動對開。

㈮展覽橱，牌

1.展覽橱之規格：

(1)寬一五二公分，深七一公分，高九一公分。

(2)寬一五二公分，深一二二公分，高一二二公分。

2.展覽橱以木製或鋼製均可，上面必加蓋平版玻璃及加
鎖。

㈯排片盤

1.規格如下：長二九・五公分，寬二八公分，高六・五
公分。每盤分成左右兩排，每排各有十三格，每格間
距一・七公分。全盤共二六格，按順序標以二六個英
文字母

2.編目工作時用以處理卡片。

㈰小册子盒

1.規格如下：寬一〇公分，深一九公分，前高九公分，
後高二一公分。

2.用以處理分門別類之各種小册子或未裝訂成册之期刊

雜誌。

(九)出納盒、屜：為一長三○公分，寬八・四公分，高八・
六公分的長方形木盒，可容書卡一○○○張。可置於出納
檯上或裝成抽屜。盒內亦可置一托板，以免書卡傾倒。
亦可裝成雙屜式。

(十)鋼質書檔

　1.書檔用鋼製造，耐久美觀，硬度強，不易折斷，可因
　　需要區分為大、中、小三型。亦可漆上不同顏色藉以
　　區別。書檔稜角處採光圓式，用以損傷書籍。

　2.普通書檔規格：高一二・七公分，寬一二公分。
　　大型書檔規格：高二三公分，寬一五公分。

(十一)取書短梯

　1.用以取拿書架上層書籍，亦可用來當橙子使用。

　2.規格：高三五公分，頂寬三八公分，頂深二三公分，
　　踏板深二三公分。

(十二)各種設備之佈置

　1.閱覽室之佈置以高低年級學生分隔為宜。

　2.閱覽室陳列各書，應採開架制，以便學生檢閱書籍內
　　容。

　3.閱覽室之佈置，應力求整潔美觀寧靜，使學生得有一
　　個安適之閱覽環境。

　4.閱覽室內兩閱覽桌之間距離（無椅）不得少於九十公

分。

5. 兩閱覽桌之間距離（連椅）不得少於一二〇公分～一
   五〇公分。

6. 閱覽桌與書架之間距離最低應爲一〇五公分～一二〇
   公分。

7. 出納檯應靠近出入口，俾便管理。

8. 目錄櫃應置於近出納檯處，俾館員就便協助兒童使用
   目錄。

9. 閱覽桌之位置應避免面對光線，如不得已非面對光線
   不可，則應有遮避光線之處理。

四、附　　則

㈠定期做下列統計：

1. 每天（或每週或每月）或每年級借書量。

2. 每天利用圖書館人次數字。

3. 每年圖書增加量。

㈡圖書館應有每學期或每學年預定工作計劃。

㈢年終提出年度工作報告及提供改進意見。

㈣定期實施國小圖書館設備評鑑。

㈤經營活動成果列入「辦學績效之考核」。

（四）

1. 沈寶環教授對本書
評論摘錄原文

International Journal of Reviews v. 1, no. 1, 1984

Er-tung t'u-shu-kuan li-lun shih-wu (The Children's Library: Theory and Practice.) By Sieu Mai Cheng. Taipei: Student Book Company, 1983. 250p.

. . . " Apparently, the growing demand for better children's libraries here is both real and natural as a result of years of political stability and economic prosperity. Amid the many undertakings toward better children's libraries in Taiwan, there was the timely publication of this volume. The author is currently lecturing at Fu Jen University, National Taiwan University as well as National Taiwan Normal University on children's and public school libraries. After obtaining her advanced degree at Drexel University, Cheng worked at the Brooklyn Public Library in children's work for over 17 years which obviously prepared her as an authority in the field. " . . .

All in all, Cheng's lucid and perceptive treatment of the subject matter makes the book extremely readable and fitting to be read by professionals and concerned readers who do not happen to be library specialists. This book, not taking a pie-in-the-sky approach, gives many practical and workable ideas which indeed make it a sort of useful reference work for children's librarians.

HARRIS B. H. SENG

2.沈寶環教授對本書
評論摘譯

「……由於社會政治安定與經濟繁榮，國民對兒童圖
書館的需求自然日形增長。在近年來許多加強改進臺灣兒
童圖書館事業發展的事項中，著者的適時出版本書便是一
例。作者目前在輔大、臺大及師大講授公共圖書館及兒童
圖書館等課程，獲美國DrexeL大學碩士學位後曾服務於
紐約市布魯克林公共圖書館兒童部門逾十七年。鄭女士的
經歷顯然已使她成為這方面的專家。……總之，鄭女士的
簡明且深入的討論主題使本書具有高度的可讀性，適合圖
書館專業人員及關心兒童圖書館的非專業人員閱讀。由於
本書並不高談濶論，提供不少實際可行的構想，因此更是
一本對兒童圖書館員們極有用的參考書。……」

摘譯自國際書評學報第一卷一期，一九八四年。

附　錄　二

台北市公私立兒童圖書館(室)
現況調查研究摘錄

第一章　緒　論

第一節　研究動機與目的

　　兒童圖書館是圖書館的一種類型，其服務宗旨，基本上與一般圖書館並無二致，惟更具有輔佐「國家未來的主人翁」—兒童—進德、修業、怡情、養性的特殊功能。而其主要服務對象係爲學齡及學前兒童，他們普遍有較諸成人更強烈的好奇心、模仿性及想像力，故兒童期可稱個體發展過程中，最具可塑性（ *Plasticity* ）的時期。因此專家學者們均認爲此時期爲接受教育的最佳時機，亦爲奠定個人成年後行爲型態的重要階段。在此期間，兒童所接受的家庭教育、學校教育及社會教育皆給予兒童極大影響。兒童圖書館是社會教育機構，可在家庭父母的言教身教與學校的正規課程之外，提供多元化的服務及輔導，以幫助

兒童獲得更深廣的知識與文化素養，並早日養成利用圖書館的正確觀念與良好習慣，達成「活到老、學到老」的終身教育目標。

今日兒童在生理、形體上或許與十九世紀前並無二致；但其心理精神的變化與社會化的腳步卻已大不相同，尤其在升學主義籠罩的我國，愈來愈多望子女成龍鳳的父母親不願孩子「輸在起跑點上」，以名目繁多的課後補習強加於智力、體力皆未成熟的兒童，而疏忽了是否「揠苗助長」。另一方面，由農村社會蛻變為工商社會，甚至資訊社會的過程中，家庭結構也產生了劇烈的變化；職業婦女、單親家庭的增加導致許多兒童成為「鑰匙兒」（*latch-key children*），每於放學後留連街頭或電玩店中。在上述環境下成長的兒童，無疑需要一個自由、開放、健康的空間，提供其知識與休閑，兒童圖書館正是最佳場所；兒童圖書館在現代資訊社會的重要性可說是與日俱增。

公私立公共圖書館中，一般皆設有兒童圖書館(室)；近年來私立兒童圖書館亦漸具規模。惟至今在學術上，始終未見一本土性、實證性的調查研究，這對兒童圖書館經驗的累積傳承與健全發展而言，無疑是一大缺憾。有鑑於此，兼之國立中央圖書館臺灣分館向來重視兒童圖書館暨兒童文學的發展，且肩負輔導推展臺閩地區圖書館業務之責，故與國立臺灣大學圖書館學系合作，借重其師生專業

知識，就臺閩地區之兒童圖書館（室）之現況及所遭遇的困難、限制，進行階段性的調查研究，並提出具體的結論與建議，作為改進我國兒童圖書館（室）業務、促進其健全發展的參考資料。

本研究之具體目的如下：

1. 調查我國臺閩地區公私立圖書館兒童服務據點（*service point*），包括專門兒童圖書館、兒童室、兒童部門的分佈情形。

2. 瞭解臺閩地區公私立兒童圖書館（室）的現況，主要項目包括：各館基本資料、館舍與設備、組織與人員、館藏資料、技術服務及讀者服務等。

3. 根據所蒐集的文獻資料，配合問卷調查及實地訪視的結果，研究問題之所在，提出具體可行之建議，做為研究改進我國兒童圖書館（室）業務之參考。

第二節　研究對象與範圍

本研究計畫係以臺閩地區之兒童圖書館（室）為主要對象，因研究地理範圍頗廣，館數眾多，為使研究能確實發揮效能，乃分三個研究階段：

㈠臺北市公私立兒童圖書館（室）現況調查研究

(1)研究時間：民國 79 年 12 月～80 年 5 月

(2)研究對象:

　A．臺北市公立兒童圖書館（室）:

　　a．國立中央圖書館臺灣分館兒童室

　　b．臺北市立圖書館總館及各分館之兒童室
　　　（24所）

　B．臺北市私立兒童圖書館（室）:

　　a．信誼基金會幼兒館

　　b．國語日報文化中心附設兒童圖書館

　　c．行天宮附設圖書館兒童圖書室

　　d．紅蜻蜓兒童視聽圖書館

　　e．臺北市私立天主教快樂兒童中心附設兒童
　　　圖書館

（參見附圖）

　㈡臺閩地區縣（市）立圖書館及文化中心圖書館兒童
　室現況調查研究

　研究時間: 民國80年7月〜81年6月

　㈢臺閩地區鄉鎮圖書館兒童部門現況調查研究

　研究時間: 民國81年7月〜82年6月

　本調查研究係屬第一階段計畫，研究項目包括: 館舍
與設備、組織與人員、館藏資料、技術服務及讀者服務等
大類。

象，家長、敎師等爲次要對象，所指「兒童」包括學前、
小學、初級中學三階段。

▲兒童室—爲附設於公立或私立圖書館的兒童服務部門。
其服務宗旨、對象與專門之兒童圖書館相同，惟通常規
模較小。

另稱兒童圖書室、兒童閱覽室。

▲兒童圖書館館員—簡稱兒圖館員。負責兒童服務部門之
專業圖書館館員。

▲小義工—公私立圖書館兒童部門及小學圖書館中，徵募
十四歲以下學齡兒童，利用課餘的時間，義務協助兒童
圖書館員處理圖書館庶務。

第四章　結論與建議

第一節　結　論

　　本研究主要係針對臺北市公私立兒童圖書館做一全面
性的調查，透過館舍設備、組織與人員、館藏資料、技術
服務與讀者服務等五個構面來評估臺北市各兒童圖書館的
經營現況，並根據問卷調查的統計分析結果及實地訪視經
驗，提出具體的結論與建議。各項統計結果，可提供各兒
童圖書館作爲經營管理之參考。以下就調查問卷之順序，
將統計結果分述如下：

一、館舍設備

　1.圖書館全館面積平均數爲 609.81 坪；兒童室面積平
　　均數爲90.13坪；私立兒童室面積平均約爲公立兒童

室之二倍。

2. 兒童室面積佔全館面積之比例平均爲 14.8 ％。

3. 圖書館全館面積以分佈於 300 坪至 600 坪者最多，共佔十四個館。

4. 兒童室面積以分佈於 26 至 50 坪者最多，共十一個館，佔 35.5 ％。

5. 兒童室閱覽席位平均數爲 69.68 席；分佈於 26 ～ 75 席間者最多，共 19 個館，佔 16.3 ％。

6. 公立兒童室之電視機、錄影機、投影機、錄音機及個人電腦數量平均不足一台，私立兒童室平均有一台以上；音響設備及影印機則公私立兒童室均不足一台。

7. 兒童室的主要地蓋物以地毯及磨石子地最爲普遍，均爲十一個館，各佔 36.7 ％。

8. 兒童室是否有專爲兒童設計的飲水設備及洗手間方面，前者私立圖書館的答案有八成是肯定的，公立圖書館的答案則僅有一成五是肯定的；後者私立圖書館的答案有六成是肯定的，公立者則僅有一成左右答案是肯定的。

9. 兒童室是否有專爲兒童設計的存物櫃及桌椅，不論公私立兒童室，答案多爲肯定的。

10. 大部分的公立圖書館（ 61.5 ％ ）備有醫藥箱等急救設備供兒童室利用，私立兒童圖書館則全數備有此項

設備。

11. 絕大部分的兒童室均裝設有滅火設備（93.5％）及空調設備（96.8％）。

12. 兒童室館員對館舍設備之滿意度多分佈在不滿意（8館；26.7％）、尚可（11館；36.7％）、滿意(10館；33.3％）間。其中，私立兒童室館員對館舍設備均表示滿意。

二、組織與人員

1. 圖書館全館人員數多爲5-7人，共十八個館，佔69.2％；全館專業人員數多爲0-3人，共十九個館，佔73％。

2. 大部分兒童室（70.0％）小義工人數多分佈於1至10人間，共十九個館，佔61.3％。

3. 大多數兒童室僅有一人負責，共二十一個館，佔67.7％；兒童室專業人員數，多數爲零，共十九個館，佔61.3％。

4. 兒童室負責人員多數爲專職，共二十三個館，佔74.2％。

5. 兒童室館員最高學歷多爲學士（50.0％）及專科（30.0％）。

6. 兒童室館員接受職前訓練的比例不高（33.3％），

但大多數兒童室館員表示有參加在職進修的機會(93.3％)。

7. 圖書館提供在職進修的方式，以參加短期專業訓練課程最爲普遍（90.0％）。

8. 兒童室館員希望在職進修的科目，以兒童心理比例最高（96.7％），其次爲兒童教育（83.3％）及溝通技巧（83.3％）。

9. 兒童室館員對組織與人員之滿意度多爲尚可（14館；46.7％）。其中，私立兒童室館員對組織與人員則均表示滿意。

三、館藏資料

1. 兒童室館藏冊數多分佈於 10,000 至 15,000 冊之間，共 18 個館，佔 58.1％。

2. 兒童室語文類圖書佔全部館藏之比例平均爲 40.82％。

3. 兒童室之兒童期刊數多分佈於 11 至 20 種之間，共 22 個館，佔 71.0％；一般期刊數則多數館爲零(80.6％)。

4. 兒童室之兒童報紙數多分佈於 1 至 5 種間，共 24 個館，佔 77.4％；一般報紙數則多數館爲零（87.1％）。

5. 兒童室圖書平均爲 12,718.8 冊；兒童期刊平均爲 16.4 種；一般期刊平均爲 2.0 種；兒童報紙平均爲

3.1 種; 一般報紙平均爲 0.3 種。

6. 絕大部分的兒童室未訂定館藏發展政策（ 92.9 ％）。

7. 兒童室館員參與選書工作的情形，整體而言並不高
（ 33.3 ％），但私立兒童室方面，館員的參與率則爲
百分之百。

8. 兒童室選書方式，以參考讀者推薦最爲普遍(76.7％)，
其次爲參考書商出版之圖書目錄（ 73.3 ％），及參
考各圖書館出版之圖書目錄（ 56.7 ％）。

9. 兒童室館員對館藏資料之滿意度多爲尚可（ 18 館；
60.0 ％）或滿意（ 10 館； 33.3 ％）。

四、技術服務

1. 絕大部分兒童室中文資料採用中國圖書分類法分類
（ 90.3 ％）；西文資料之分類法，公立圖書館均採用
杜威圖書分類法，私立圖書館則均與中文資料相同
（中國圖書分類法）。幼兒讀物方面，私立圖書館亦
多與中文資料相同，公立圖書館則另設計分類方法。

2. 兒童室作者號均採用四角號碼。

3. 兒童室圖書目錄形式以卡片目錄最爲普遍，共三十個
館備有，佔 96.8 ％；圖書目錄種類則以書名目錄、
分類目錄、作者目錄三者最爲普遍。

4. 圖書及其附件的處理方式，多數兒童室採分別排列，

亦即將圖書依類號上架，附件另置他處，共二十三個館，佔 79.3％。

5. 多數兒童室的視聽資料係以圖書附件爲主，並無獨立的視聽資料，處理方式一如前述。

6. 兒童室圖書的淘汰標準，公立兒童室因礙於規定，圖書淘汰率極低，造成新書無法上架之困擾；私立兒童室之圖書淘汰政策則較爲合理，故其館藏較爲新穎。

7. 兒童室清點圖書的工作，由於私立圖書館人手較爲充裕，多能定期清點圖書（80.0％）；公立圖書館則僅五成的兒童室表示定期清點圖書。

8. 進行圖書館自動化的兒童室，整體而言，僅佔少數（10.0％），但私立兒童室則過半數進行圖書館自動化（60.0％）。

9. 兒童室館員對技術服務之滿意度多爲尚可（14館；46.7％）及滿意（13館；43.3％）。其中，私立兒童室館員對技術服務部份則均表示滿意。

五、讀者服務

1. 兒童室每週開放時數多分佈於 41 至 50 小時之間，共二十個館，佔 64.5％。

2. 九成以上的兒童室逢週一（90.3％）及國定假日（93.5％）閉館。

3. 兒童室圖書資料均採開架閱覽。

4. 兒童室服務之兒童年齡多在 4 至 12 歲之間。

5. 大部分的兒童室尙開放給老師（93.5％）、家長（93.5％）、相關專業人士（90.3％）及一般民衆（77.4％）使用。

6. 絕大部分的兒童室圖書資料均可外借（96.8％），兒童以外的讀者亦多可借書（93.5％）。

7. 多數兒童室之讀者每次可借圖書二册（93.3％），借期爲 14 天（96.7％），可辦理續借者佔大多數（96.7％）。

8. 兒童室的視聽資料多不可外借（86.2％），過期期刊則多可外借（87.1％）。

9. 兒童室定期統計圖書流通者，共二十七個館，佔 87.1％。

10. 兒童室設置意見箱的情形並不普遍，僅佔四成（40.0％）。

11. 多數兒童室未對讀者做過問卷調查（90.0％）。

12. 兒童室舉辦的活動項目中，以班訪最爲普遍（90.3％），其次爲小博士信箱（83.9％）及講故事時間（80.6％）。

13. 兒童室舉辦活動時，均會利用兒童室，其次則爲視聽室（66.7％），僅少數兒童室曾在戶外（16.7％）

或會議室舉辦活動。

14. 兒童室館員對讀者服務之滿意度多為尚可（56.7％）及滿意（40.0％）。

第二節　建　議

綜合統計分析結果及各兒童室館員於問卷中提出的問題與建議，再配合本研究小組人員實地訪視的記錄，特提出以下建議:

一、基本資料

1. 圖書館應積極參加相關專業學會

各館加入相關專業學會的比例偏低，應該多予鼓勵。除圖書館專業組織外，相關學會（如中華民國兒童文學學會）亦不可忽視。在一個圖書館系統下，除總館外，各分館亦應分別加入學會。

2. 慎選館舍設立地點

部分公立圖書館的分館位於傳統市場、超級市場、衞生所、甚至消防隊等市政機構的樓上，對兒童室的環境品質造成不良的影響，往後設立新館時，於館址選擇上，應更加注意。

3. 兒童室入口應有明顯標示

少數圖書館的兒童室標示不明，應予改進，使兒童入館後，可輕易找到兒童室入口。

4. 兒童服務項目之統計資料應與其他資料分列。

二、館舍設備方面

1. 妥善規劃兒童室空間

許多兒童室館員反應兒童室空間過小、書架不足，治本之道自然是拓寬空間，唯短期內似難達成；治標之道則是妥善規劃，充分利用現有的每一空間，並能慎選書架，使空間經濟效益發揮到最大。

2. 書架設計需重實用性

書架是儲放館藏圖書的重要工具，但目前各兒童室書架規格混亂，且多半未針對兒童圖書大小極不一致的特性設計，而使經濟效益大打折扣。故應採用統一規格及專門設計並可彈性調整之書架。

3. 謹慎設計採光，保護兒童視力

若干兒童室採光不良。採用傳統日光燈管，雖具省電、耐久、散熱低之優點，但因其光線易閃爍不穩定，長期使用會對兒童視力造成莫大傷害。建議換用改良型日光燈管，並善加利用自然光線。

4. 地毯並非理想的地蓋物

四成的公立兒童室地蓋物以地毯為主，但館員普遍反

應不佳，因兒童入館須脫鞋，時日一久，空氣中異味瀰漫，不符合衞生原則。同時地毯不勤加清理，甚易藏污納垢，「十年方得更換，一月清理一次」之硬性規定實有違常理，有關單位應儘速改善。建議兒童室採用有彈性的塑膠地板，除清理方便外，亦具防滑止跌、滅音等優點。

5. 充實視聽設備

視聽設備缺乏的情況在公立圖書館兒童室中相當普遍，建議購置館藏設備經費之比例應重加修正；豐富的視聽設備是協助提供多元化、精緻化服務，及吸引兒童讀者之利器。

總而言之，綜觀現階段台北市各公私立兒童室之館舍設備雖初具規模，差強人意，但若與歐美諸先進國家兒童室比較，則仍有許多值得努力突破之處。同時，館舍設備涉及經費、空間、規章等問題，均非兒童室館員權限範圍可主控；亟待上級主管單位的認識與合作，多尊重、徵詢兒童室館員的意見。而兒童室館員亦應主動參與兒童室的設計工作，以謀求建立符合資訊時代需求之兒童室。

三、組織與人員方面

1. 擴增兒童室人員編制

絕大部分的公立兒童室僅有一位館員負責，在圖書館

讀者服務趨向多元化的今日，如圖書流通、參考諮詢服務、兒童閱讀指導、圖書館利用教育、推廣活動的辦理等等，都需要館員策劃、參與，只有一位館員負責兒童室，實難以負荷如此沈重的工作量，如此不僅影響兒童室的服務品質，亦造成兒童室館員流動率偏高的現象。是故增加兒童室人員編制，實為改善兒童室服務品質之一大關鍵。

2. 加強兒童室館員在職訓練

根據調查結果，六成以上的兒童室無專業館員。在館員欠缺專業素養的情況下，服務理念未能達成共識，難以順利推展館務，提供完善的服務，故圖書館應多提供館員在職訓練的機會，以期使館員的專業知識能與時並進，提昇服務的品質。

3. 開發社區人力資源

各館建立義工制度，一來使館員沈重的工作壓力得到若干紓解，二來增加讀者對兒童室的向心力。

館員是圖書館的靈魂人物，尤其因兒童身心皆在發育成熟中，需要較費心的服務；館員的態度常影響其利用圖書館的意願，館員是否正確、詳盡地作好圖書館利用教育亦將影響其終生利用圖書館的習性。然目前台北市公私立兒童室館員在質、量上皆有所不足，對服務品質提昇影響至鉅；此不惟是館員責任，更須上級主管的支持與重視。

四、館藏資料方面

1. 訂定完整的館藏發展政策

根據調查結果，絕大多數的兒童室未訂定館藏發展政策。兒童室館藏資料應力求多樣化，除必備的參考工具書、兒童讀物以外，視聽資料及非書資料的蒐集亦不容忽視。尤其為鼓勵家長多陪同孩子利用圖書館，一般期刊、報紙，與親職教育之類的圖書，亦應列入兒童室館藏，唯有完整的館藏發展政策，才不會顧此失彼，方能為兒童讀者提供更健全、更精緻的館藏資料。

2. 兒童室館員主動參與選書工作

兒童室館員終日與兒童讀者們相處，最能了解兒童特殊需求。故各兒童室館員應主動、積極參與選書工作，為兒童建立更切合需要的館藏。

3. 改進圖書採購方式

公立圖書館圖書多採定期公開招標的方式購置，在辦理公開招標、驗收、分編處理，到新書上架，一般正常作業需時約八至九個月（註一），致使資料時效性極差，圖書館的腳步永遠無法跟上市面的書店。故以招標方式來購置圖書的採購辦法，實有改進之必要。

4. 充實兒童室參考館藏

公私立兒童室普遍均有參考資料缺乏、老舊現象，故應多予充實，裨便參考諮詢服務之進展。

5. 適當購買圖書資料複本

對於需求量高的圖書資料，若經費許可，應購買若干複本，便利讀者利用、閱覽。

6. 發展多元化館藏

兒童室應均衡地收藏各種主題、各種類型、各種閱讀層次的資料，以順應時代潮流，並豐富兒童室服務內涵。

兒童室館藏是否符合兒童或其他讀者需求，須仰賴兒童室館員是否能設身處地為讀者設想，是否能了解各類型兒童讀物資料的出版狀況，方能使館藏持續發展，順應時代潮流更新，永保對讀者的吸引力。

五、技術服務方面

1. 統一各兒童室的圖書分類法

根據調查結果，多數兒童室採用「中國圖書分類法」，為求使讀者能順利地利用不同兒童室的資料，及編製聯合目錄與進行自動化時，各館編目資料可彼此分享，故希望所有圖書館能採行相同的分類法。至於幼兒讀物方面，各館採用的分類法甚不一致，故盼圖書館界共同研擬一套適當的分類方法，以求統一。

2. 制訂合理的圖書淘汰政策

　　許多公立兒童室的館員認爲，圖書淘汰政策規定之淘
汰率過低，以致館員需花費大量的時間與精力從事修
補圖書的工作。而保存破損陳舊的圖書資料，不僅浪
費空間，更破壞了圖書館的形象，故公立兒童室的圖
書淘汰政策，實應加以檢討修正，以符合實際需要。

3. 簡化卡片目錄

　　不少兒童室館員皆反應，兒童讀者利用圖書館卡片目
錄櫃的比例極低，固與圖書館利用教育未盡完善有關，
與卡片目錄本身過於複雜、繁瑣亦不無關係。爲提高
卡片目錄使用效能，建議採取「簡編」格式，亦可同
時節省大量人力、時間。

　　技術服務的優劣與否，除關係讀者利用圖書館的便利
外，也是讀者服務的基礎。現階段兒童室技術服務雖大體
達基本標準，但若能注意上述事項應可更趨完善。

六、讀者服務方面

1. 加強圖書館利用教育

　　由於圖書館利用教育的缺乏，許多館員反應讀者未能
善加利用圖書館資源，如卡片使用率過低，形成一種
資源浪費，或使用習慣不良等現象。故兒童室應多舉
辦類似「圖書館之旅」或「班訪」等圖書館利用教育

推廣活動，以加強正確使用圖書館觀念之推廣。

2. 建立與讀者溝通的良好管道

為能有效地吸引小朋友利用圖書館，必先充分了解掌握小讀者們的需求，故館員與讀者們建立良好的公共關係，實為兒童室館員需要努力的一大目標。溝通管道可藉由讀者意見箱的設置等方式建立。

3. 適時針對讀者做問卷調查

為求確實掌握讀者的需求，可適時針對兒童室讀者進行問卷調查，其結果並可提供給其他圖書館參考。

4. 與社區內其他機構團體積極合作

兒童室應與鄰近的小學、圖書館或其他機構團體建立良好關係，互相合作，為兒童謀求更大福利。

5. 開放時間應更具彈性

各兒童室應考慮錯開休館日，並酌情於寒暑假期間，彈性延長開放時間，以配合兒童的作息時間。

6. 推廣參考服務

在圖書館利用觀念未能彰顯的今日，兒童室的參考服務一直未受重視。為期養成兒童利用圖書館查詢資料的習慣，加強小讀者們正確的圖書館利用觀念，圖書館方面除了加強圖書館利用教育的宣導外，亦可與學校老師密切合作，如請老師規定作業讓小朋友至圖書館查詢等。

　　兒童服務可說是公共圖書館服務中非常重要的一環。隨著社會的快速演進，兒童圖書館所提供的服務亦應趨向於多樣性的發展，以因應今日兒童的需要。為了提供更完備的讀者服務，兒童室館員除了加強與讀者之間的人際關係外，亦須與社區內學校及其他機構團體密切合作，以獲得充分的資訊交流，提供更多元化、更精緻的服務。

　　審視上述結論與建議，我們深知從圖書館經營管理的立場看，兒童圖書館發展所面臨的問題仍不外人員、館藏及館舍與設備在質與量方面的匱乏。這也是我國各類型圖書館未來發展待突破的瓶頸。因為問題的解決涉及整個行政體系架構、法令規章與國人傳統觀念上對圖書館的看法等，猶待圖書館界與社會各界個人、團體及政府機關的合作，作持續性的溝通與努力以謀求改進。

　　依自身多年來從事圖書館學教育工作經驗觀察，圖書館學系、所畢業同學如立意投入圖書館行列，他們多能發揮專業所長，有不凡的表現。兒童圖書館的服務不是靜止的，兒童圖書館員扮演的角色也隨著時代與大環境的變遷而不斷調整。在廿一世紀來臨的前夕，由於資訊充斥，兒童資訊需求的增加及新科技的衝擊等因素，大大地影響了兒童圖書館經營的理念與方法，身為資訊時代的兒童圖書館員，必須具有現代化的、積極的世界觀，方能勝任愉快地接受時代的挑戰。

在一九八九年，美國圖書館協會兒童服務委員會綜合相關兒童服務標準與準則，制定了「公共圖書館兒童服務館員資格」（ *Competencies for Librarian Serving Children in Public Libraries* ）供各界參考，其中強調提供有效率的兒童圖書館服務者，必須具備豐富的人生經驗及專業技巧；熟諳圖書館學理論與實務及圖書館發展趨勢；及具備瞭解兒童利用圖書館需求的知識。公共圖書館兒童服務的理念是確立在提供兒童獲取全部圖書館資料與服務的機會。而該「資格」中各項的詮釋也隨社會、圖書館服務的變遷或個人專業上成長而改變。今將該「資格」中七大項目列述於後：

一、服務對象的瞭解

二、經營管理的能力

三、溝通的技巧

四、資料及館藏發展

　　㈠對資料的瞭解

　　㈡選擇適當的資料及發展館藏的能力

　　㈢提供讀者適當資料與資訊的能力

五、舉辦活動的技巧

六、推廣、建立公共關係及網路的技巧

七、具專業精神及謀求專業上的成長

此「資格」應用層面非常廣泛，凡從事與兒童圖書館

相關工作人員均可以參考，以達成他們的需求目標：（註
二）

一、圖書館學校教育可依此「資格」設計課程

二、公共圖書館的行政人員可依此「資格」明訂徵
　　求人員的標準、要求，同時也可作爲內部人員
　　評鑑的參考

三、各層次行政主管機關可利用此「資格」作爲建
　　立兒童圖書館的主要參考

四、館員可依此「資格」作爲自我評鑑的標準和增
　　長專業知識的依據

五、圖書館學系學生可用來作爲選課的參考資料

六、專業組織可依此「資格」作爲設計各種活動或
　　會議時的依據

要想在圖書館其他客觀條件不易立即改善的同時，積
極發展兒童圖書館服務，培養及儲備具正確理念及素養的
專業兒童圖書館員，實爲當務之急。

註　釋

註一：苗蕙芬著，公共圖書館讀者整體滿意度之調查研究—以台北市
　　　立圖書館爲例　台北市：台北市立圖書館，民 79，頁 89。

註二：Barbara Immroth, "Improving Children's Services: Competencies for Librarian Serving Children in Public Libraries", *Public Libraries* Vol. 28, No. 3（May／June, 1989）: 166-169.

參 考 書 目

一、圖書部分

中文部分：

1. 王振鵠編譯。<u>小學圖書館</u>。台北市：正中書局，民 65 年。

2. 林美和著。<u>小學圖書館的管理與利用</u>。台北：台北市教育局，民 70 年。

3. 高錦雪著。<u>兒童文學與兒童圖書館</u>。台北：書藝，民 69 年。

4. 國立台灣師範大學社會教育學系。<u>學校圖書館工作手册</u>。台北：該系，民 74 年。

5. 國立台灣師範大學圖書館編。<u>兒童圖書館研討會實錄</u>。台北：該館，民 72 年。

6. 國立台灣師範大學實習兒童圖書館編。<u>兒童圖書館概況</u>。台北：該館，民 72 年。

7. 楊曉代主編。<u>我們的圖書館</u>。二一六年級。台北縣：後埔國民小學，民 76 年。

8. 台北市立圖書館編。公共圖書館實務研討會會議資料。台北：該館，民 76 年。

9. 台北市立圖書館編。建立台北市立圖書館自我評鑑制度之研究。台北：該館，民 76 年。

10. 台北市立圖書館編。圖書館之旅手冊。台北：該館，民 80 年。

11. 台灣省立台中圖書館編。台灣省各縣市文化中心圖書館行政與實務研討會記實。台中：該館，民 74 年。

12. 鄭吉男著。公共圖書館的經營管理。台北：學生，民 77 年。

13. 鄭雪玫著。兒童圖書館理論／實務。台北：學生，民 74 年。

14. 鄭雪玫著。資訊時代的兒童圖書館。台北：學生，民 76 年。

15. 林玉體編（曹鵬、王正明著）。為孩子選好書。台北：時報出版公司，民 77 年。

英文部分：

1. Aaron, Shirley L. *A Study of Combined School-Public Libraries*. Chicago: American Library Association, 1980.

2. Baskin, Barbara H. & Harris, Karen H., eds. *The Special Child in the Library*. Chicago: American Lib-

rary Association, 1976.

3. Broderick, Dorothy M. *Library Work with Children.*
   New York: Wilson, 1977.

4. *Library Service to Children: An International
   Survey.* New York: K. G. Saur, 1983.

5. *Library Work for Children & Young Adults in the
   Developing Countries.* New York: K. G. Saur, 1984.

6. Long, Harriet G. *Public Library Service to Chil-
   dren: Foundation and Development.* Metuchen, NJ:
   Scarecrow, 1969.

7. Munson, American H. *An Ample Field.* Chicago: Clive
   Bingley, 1979.

8. Ray, Sheila G. *Children's Librarianship.* London:
   Clive Bingley, 1979.

9. Rollock, Barbara T. *Public Library Service for
   Children.* Hamden, Conn.: Shoe String, 1988.

10. White, Lawrence J. *The Public Library in The 1980s.*
    Lexington, Mass: Lexington Books, 1983.

11. Whitehead, Robert J. *A Guide to Selecting Books
    for Children.* Metuchen, NJ: Scarecrow, 1984.

二、期刊文獻部分

㈠組織與人員

1. 楊美華。「我國公共及大專圖書館的人事規劃研究」。

中國圖書館學會會報　第 40 期（民 76 年 6 月）：頁 27 - 520。

2. 傅雅秀。「圖書館員繼續敎育調查硏究」。教育資料與圖書館學　22 卷 1 期（Autumn, 1984）：頁 53 - 64。

(二)讀者服務

1. 鄭雪玫。「人際溝通與讀者服務」。在沈寶環敎授七秩榮慶祝賀論文集。沈寶環敎授七秩華誕籌備委員會編。台北市：台灣學生書局，民 78。

2. 曾琪淑。「兒童閱讀指導探討」。書目季刊　第 45 期（民 80 年 3 月）。

3. Walster, Diane. "Promoting Appropriate Behavior in the Media Center." *School Library Journal* Vol. 36 (August, 1990): 26–29.

4. Dowd, Frances Smardo. "Latchkey Children: A Community and Public Library Phenomenon." *Public Library Quarterly* Vol. 10 (Spring, 1990): 7–17.

5. Duffy, Joan R. "Images of Librarians and Librarianship." *Journal of Youth Services in Libraries*. Vol. 3 (Summer, 1990): 303–308.

6. Hempel, Ruth. "Nice Librarians Do!" *American Libraries* Vol. 21 (January, 1990): 24–25.

7. Immroth, Barbara. "Improving Children's Services:

Competencies for Library Serving Children in Public Libraries." *Public Libraries* Vol. 29(May/June.1990): 166-169.

8. Nespeca, Sue M. "Researching the Unserved: Library Can Attack Illiteracy." *School Library Journal* Vol. 36 (July 1990): 20-22.

9. Painter, William. "Mixing Puppets with Storytelling." *Emergency Librarian* Vol. 17 (May/June 1990): 16-17.

10. Strickland, Charlene. "Young Users." *Wilson Library Bulletin* Vol. 65 (October 1990): 81-83.

11. Val Vliet, Virginia. "Great Expectations: the Role of the Professional Children's Librarian." *Emergency Librarian* Vol. 17 (May/June 1990): 28-30.

12. Wornka, Gretchen. "From the Firing Line: Practical Advice for the Reference Service with Children in the Public Library." *The Reference Librarian* No. 7/8 (Spring/Summer 1983): 143-149.

㈢館藏資料與技術服務

1. 曾淑賢。「我國兒童圖書館之過去、現在與未來」。<u>中國圖書館學會會報</u> 第 45 期 (民 78 年 12 月) : 頁89。

2. 鄭雪玫。「近年來日本兒童圖書館之發展」。<u>輔大圖書</u>

館學刊　第 16 期（民 76 年 5 月）：頁 35-39。

3. 金梅仙。「談談國小圖書館的分類」　中華民國兒童文學學會會訊　5 卷 6 期（民 78 年 12 月）：頁 5-7。

4. Genco, Barbara A., MacDonald, Eleanor K. & Hearne, Betsy. "Juggling: Popularity and Quality." *School Library Journal* Vol. 37 (March 1991): 115-119.

5. Immroth, Barbara F. "How is the Next Generation of Library Users Raised? The First National Survey on Services and Resources for Children in Public Libraries." *Public Libraries* Vol.29(Nov./Dec..1990): 339-341.

6. Sandlian, Pamela & Walters, Suzanne. "A Room of Their Own: Planning the New Denver Children's Library." *School Library Journal* Vol. 37 (Feb. 1991): 26-29.

㈣館舍設備

1. 林勇。「人因工程與兒童閱覽室桌椅」。教育資料與圖書館學　27 卷 3 期（民 79 年春季）：頁 435-464。

2. 鄭雪玫。「兒童室之設計與佈置」。輔仁圖書館學刊　第 10 期（民 70 年 11 月）：頁 36-39。

3. Dixon, Joyce K. "Experiencing Architecture: The Young People's Library Department in Las Vegas."

School Library Journal Vol. 37 (Feb. 1991): 30-32.

4. "Designing Library Facilities for a High-Tech Future." Drabenstott, John, ed. *Library Hi Tech* Vol. 5 (Winter 1987): 103-111.
5. HBW Associates Inc. Library Planners and Consultants. "Planning Aids for a New Library Building." *Illinois Libraries* Vol. 67 (Nov. 1985): 794-807.
6. Kaspik, Arlene M. "Planning a New Youth Services Department or Beauty's More Than Skin Deep" *Illinois Libraries* Vol. 70 (Jan. 1988): 22-24.
7. Rohlf, Robert H. "Best-Laid Plans: A Consultant's Constructive Advice." *School Library Journal* Vol. 36 (Feb, 1990): 28-31.

台北市公私立兒童圖書館(室)現況
調查問卷

敬愛的兒童室工作人員:

　　本問卷之目的在於對台北市公私立兒童圖書館（室）之現況進行調查，以深入了解兒童圖書館(室)之發展情形及問題所在，並進而提出具體可行之建議，供圖書館界參考。本問卷所填答之各項資料，皆只用作整體性的統計分析，各館資料均將妥為保密，不對外公開發表。謝謝您撥冗填答此問卷，謝謝!

　　　　　　國立台灣大學圖書館學系
　　　　　　研究計畫主持人　鄭雪玫　敬啓
　　　　　　　　　　　　　　　80.2.1

填答時間: ___年___月___日　　填表人: _____

　　　　　　　　　　　　　　　職　稱: _____

壹、基本資料

　　一、圖書館全名: _____
　　　　館址: ___市___區___路（街）___段___巷
　　　　___弄___號___樓

　　　隸屬單位：_____

　　　貴館為：　1.( )公立圖書館　　2.( )私立圖書館

二、兒童室創立時間：民國___年

三、貴館有無參加專業學會？ 1.( )有　　　2.( )無

　　參加專業學會名稱：

　　　1.( )中國圖書館學會

　　　2.( )中華民國兒童文學學會

　　　3.( )其他（請說明）_____

貳、館舍設備

一、圖書館全館面積_____坪

　　兒童室面積_____坪

　　圖書館全館共_____層

　　兒童室所在樓層：_____樓

二、兒童室閱覽座位共_____席

三、貴館是否有下列設備供兒童室利用：

　　電視機___台，　　　錄放影機___台，

　　投影機___台，　　　幻燈機___台，

　　錄音機___台，　　　音響設備___套，

　　個人電腦___台，　　影印機___台，

　　其他（請說明）_____

四、兒童室之主要地蓋物為：

1.( )地毯　　　　2.( )木板

3.( )磨石子地　　4.( )塑膠地板

5.( )其他（請說明）_____

五、貴館是否有專為兒童設計之飲水設備？

1.( )是　　　2.( )否

六、貴館是否有專為兒童設計之洗手間？

1.( )是　　　2.( )否

七、兒童室是否有兒童專用之存物櫃？

1.( )是　　　2.( )否

八、兒童室是否有專為兒童設計之桌椅？

1.( )是　　　2.( )否

九、貴館是否有醫藥箱等急救設備供兒童室利用？

1.( )是　　　2.( )否

十、兒童室是否裝設滅火設備？

1.( )是　　　2.( )否

十一、兒童室是否裝設空調設備？

1.( )是　　　2.( )否

十二、兒童室館員對館舍設備之滿意度：

1.( )非常滿意　　2.( )滿意　　　3.( )尚可

4.( )不滿意　　　5.( )極不滿意

問題與建議：_____

叁、組織與人員

一、貴館有專業人員（圖書館學系所畢業或圖書館類
　　科考試及格者）_____人，
　　其他專業人員_____人，工友_____人，
　　工讀生_____人，義工_____人，
　　其他（請說明）_____

二、兒童室有專業人員___人，其他專業人員___人，
　　（請說明其專業背景：_____
　　_____），
　　工友___人，工讀生___人，義工___人，小義
　　工___人，
　　其他（請說明）_____

三、兒童室之負責人為：1.（　）專職　　2.（　）兼職

四、兒童室館員最高學歷：1.（　）碩士　　2.（　）學士
　　3.（　）專科　　4.（　）高中（職）　　5.其他（請說
　　明）_____

五、兒童室館員是否有職前訓練？1.（　）是，請說明訓
　　練方式_____　　2.（　）否

六、貴館是否提供在職進修之機會？1.（　）是　　2.（　）否
　　在職進修方式：（可複選）
　　1.（　）旁聽圖書館系所課程　　2.（　）晚上選修學分

3.（ ）參加短期專業訓練課程　4.（ ）參加專業演講

5.（ ）參加專業研討會　　　　　6.（ ）參加讀書小組

7.（ ）參觀相關機構

8.（ ）其他（請說明）＿＿＿＿＿＿＿＿＿＿＿

七、兒童室館員希望在職進修那些相關科目？（可複選）

1.（ ）兒童心理　2.（ ）兒童文學　3.（ ）兒童教育

4.（ ）參考服務　5.（ ）媒體運用　6.（ ）溝通技巧

7.（ ）資訊科學　8.（ ）其他（請說明）＿＿＿＿＿

：＿＿＿＿＿＿＿＿＿＿＿＿＿＿＿

八、兒童室館員對「組織與人員」之滿意度：

1.（ ）非常滿意　2.（ ）滿意　　　　3.（ ）尚可

4.（ ）不滿意　　5.（ ）極不滿意

問題與建議：＿＿＿＿＿＿＿＿＿＿＿

肆、館藏資料

填答數據請根據民國 79 年 12 月底館藏記錄為準

一、兒童室現有圖書共＿＿＿＿冊

中文＿＿＿＿冊，外文＿＿＿＿冊

參考工具書＿＿＿＿冊

二、本題請依中國圖書分類法填答：

兒童室一般圖書以＿＿＿＿類最多，有＿＿＿＿冊，

其次爲＿＿＿＿類，有＿＿＿＿冊，

以＿＿＿＿類最少，有＿＿＿＿冊。

三、兒童室有兒童期刊＿＿＿＿種，一般期刊＿＿＿種，

（訂購＿＿＿種，贈送＿＿＿種，交換＿＿＿種）

四、兒童室有兒童報紙＿＿＿種，一般報紙＿＿＿種，

（訂購＿＿＿種，贈送＿＿＿種，交換＿＿＿種）

五、兒童室有電影片＿＿＿捲，錄影帶＿＿＿捲，

錄音帶＿＿＿捲，幻燈片＿＿＿張（套），

剪輯資料＿＿＿冊，地球儀＿＿＿個，

掛圖＿＿＿幅，玩具＿＿＿種，

其他（請說明）＿＿＿＿＿＿＿＿＿＿＿＿＿＿＿＿

六、貴館三年內（77－79年度）每年平均購書經費

（包括非書資料）爲＿＿＿＿年／年

兒童室之購書經費爲＿＿＿＿元／年

每年1.( )定期　2.( )不定期　購書約＿＿＿＿次

七、兒童室是否有書面館藏發展政策：

1.( )是　　　　2.( )否

八、兒童室館員是否參與選擇兒童讀物？

1.( )是　　　　2.( )否

九、兒童室選書方式：（可複選）

1.( )書商出版之圖書目錄

2.( )各圖書館出版之圖書目錄

3.( )書展　　　4.( )書評

5.( )直接至書店選書　6.( )讀者推薦

7.( )其他（請說明）＿＿＿＿＿＿＿＿＿＿

十、兒童室館員對館藏資料之滿意程度：

1.( )非常滿意　2.( )滿意　　3.( )尚可

4.( )不滿意　　5.( )極不滿意

問題與建議：＿＿＿＿＿＿＿＿＿＿＿＿

伍、技術服務

一、分類法

㈠兒童室中文資料採用之分類法為：

1.( )中國圖書分類法

2.( )國民學校圖書暫行分類法

3.( )自訂分類法，請說明＿＿＿＿＿＿＿

4.( )其他（請說明）＿＿＿＿＿＿＿

㈡兒童室外文資料採用之分類法為：

1.( )同㈠　2.( )不同，請說明＿＿＿＿＿

㈢兒童室幼兒讀物採用之分類法為：

1.( )同㈠　2.( )不同，請說明＿＿＿＿＿

二、作者號採用：

1.( )四角號碼　　2.( )五筆檢字法

3.( )注音符號法　　4.( )自編作者號

5.（　）無作者號

6.（　）其他（請說明）＿＿＿＿＿＿＿＿＿＿＿＿

三、兒童室圖書目錄形式:（可複選）

1.（　）卡片式目錄　　　2.（　）書本式目錄

3.（　）線上檢索目錄　　4.（　）無目錄

5.（　）其他（請說明）＿＿＿＿＿＿＿＿＿＿＿

四、兒童室圖書目錄種類:（可複選）

1.（　）書名目錄　2.（　）著者目錄　3.（　）分類目錄

4.（　）標題目錄　5.（　）排架目錄　6.（　）注音目錄

7.（　）其他（請說明）＿＿＿＿＿＿＿＿＿＿＿

五、圖書與其附件:

1.（　）分別排列，請說明排架方式:＿＿＿＿＿＿＿

2.（　）混合排列，請說明排架方式:＿＿＿＿＿＿＿

六、請說明兒童室視聽資料之處理方式:＿＿＿＿＿＿

七、請說明兒童室淘汰圖書之方式:＿＿＿＿＿＿＿

八、兒童室是否定期清點圖書?

1.（　）是，＿＿＿個一次　　　2.（　）否

九、兒童室是否已進行圖書館自動化?

1.（　）是　　　2.（　）否

自動化系統包括:（可複選）

1.（　）採訪系統　　　　　2.（　）編目系統

3.（　）流通系統　　　　　4.（　）公共查詢目錄

5. ( )期刊系統　　　　6. ( )人事管理系統

7. ( )其他（請說明）＿＿＿＿＿＿＿＿＿＿＿＿＿

十、兒童室館員對技術服務之滿意度：

1. ( )非常滿意　2. ( )滿意　　　3. ( )尚可

4. ( )不滿意　　5. ( )極不滿意

問題與建議：＿＿＿＿＿＿＿＿＿＿＿＿＿＿＿

陸、讀者服務

一、兒童室開放時間：＿＿＿＿＿＿＿＿＿＿＿＿

固定閉館日：＿＿＿＿＿＿＿＿＿＿＿＿＿＿

每週開放時數：＿＿＿＿小時

二、兒童室圖書資料探：

1. ( )開架閱覽　2. ( )半開架閱閱　3. ( )閉架閱覽

三、兒童室服務之兒童年齡限制：＿＿―＿＿歲

四、兒童室除兒童外，尚開放給：（可複選）

1. ( )老師　　　　2. ( )家長

3. ( )相關專業人士　4. ( )一般民眾

五、兒童是否可以借書？

1. ( )是

2. ( )否，原因：＿＿＿＿＿＿＿＿＿＿＿＿

六、兒童以外之讀者是否可借書？

1. ( )是　　　2. ( )否

七、讀者每次可借圖書＿＿＿冊，借期＿＿＿日，

  1.( )可續借　　2.( )不可續借

八、兒童室之視聽資料是否可以外借？

  1.( )是　　　　2.( )否

九、兒童室過期期刊是否可以外借？

  1.( )是　　　　2.( )否

十、兒童室是否有統計圖書流通量？

  1.( )是（請提供資料）　　2.( )否

十一、兒童室是否設置讀者意見箱？

  1.( )是　　　　2.( )否

十二、兒童室是否曾對讀者做問卷調查？

  1.( )是，調查主題包括: ＿＿＿＿＿＿＿＿

  2.( )否

十三、兒童室提供之服務包括: （可複選）

  1.( )圖書館利用教育　　2.( )參考服務

  3.( )閱讀指導　　　　4.( )徵文、畫圖各項比賽

  5.( )各項展覽　　　　6.( )班訪

  7.( )講故書時間　　　8.( )影片欣賞

  9.( )講座　　　　　10.( )小博士信箱

  11.( )新書展示　　　12.( )新書介紹

  13.( )好書介紹　　　14.( )推薦書單

  15.( )專題書展　　　16.( )讀書會

17.( )其他（請說明）＿＿＿＿＿＿＿＿＿＿＿

十四、各項活動舉辦場地：（可複選）

    1.( )兒童室　　2.( )本館會議室　　3.( )本館視聽室

    4.( )戶外　　　　5.( )其他（請說明）＿＿＿＿＿

十五、兒童室館員對讀者服務之滿意度：

    1.( )非常滿意　　2.( )滿意　　　　3.( )尚可

    4.( )不滿意　　　5.( )極不滿意

    問題與建議：＿＿＿＿＿＿＿＿＿＿＿＿＿＿＿

非 常 感 謝 您 的 合 作 ！

國立中央圖書館出版品預行編目資料

兒童圖書館理論／實務／鄭雪玫著．--三版．--
臺北市：臺灣學生，民80
面；　　公分．--（圖書館學與資訊科學叢書）
參考書目：面
ISBN 957-15-0283-9（精裝）．-- ISBN 957-15
-0284-7（平裝）

1.　兒童圖書館
024.5　　　　　　　　　　　　　　　　80003600

兒童圖書館理論／實務（全一冊）

著作者：鄭　　　雪　　　玫
出版者：臺　灣　學　生　書　局
本書局登
記證字號：行政院新聞局局版臺業字第一一〇〇號
發行人：丁　　　文　　　治
發行所：臺　灣　學　生　書　局
　　　　臺北市和平東路一段一九八號
　　　　郵政劃撥帳號〇〇〇二四六六八號
　　　　電　話：３６３４１５６
印刷所：常　新　印　刷　有　限　公　司
　　　　地址：板橋市翠華街八巷一三號
　　　　電話：九　五　二　四　二　一　九

定價　精裝新台幣三四〇元
　　　平裝新台幣二八〇元

中華民國七十二年四月初版
中華民國八十四年三月增修三版二刷

02401　版權所有・翻印必究
ISBN 957-15-0283-9（精裝）
ISBN 957-15-0284-7（平裝）

臺灣學生書局 出版

圖書館學與資訊科學叢書

圖書館學類圖書